神奈川大学人文学研究叢書
50

動物×ジェンダー

マルチスピーシーズ物語の森へ

村井まや子／熊谷謙介 編著

青弓社

動物×ジェンダー

マルチスピーシーズ物語の森へ

目次

第2部　多様な種の文化表象へ

第5章　銃を持つダイアナ
——二十世紀転換期アメリカにおける狩猟とジェンダーをめぐる言説

信岡朝子

128

装丁——神田昇和
装画——鴻池朋子

序文　マルチスピーシーズ物語の森のマッピング

村井まや子／熊谷謙介

物語の源としての生きものたち

村井まや子

物語は、人間が世界と関係を結び、そこに何らかの意味を見いだすために不可欠の道具であり、技術である。では、様々な文化圏で古くから語り継がれてきた物語の多くに、人間以外の生きものたちが主要な役割を担って現れるのはなぜか。物語の起源には、人間とほかの生きものとの出会いが深く関わっているようだ。そして物語が生き延びるためにも、ほかの生きものとの交わりによって生まれるエネルギーが必要なのではないか。

森のなかに分け入り、この木は、あの鳥は、何を思っているのだろうと思いを馳せる心の動きは、物語的な環境認識の仕組みと考えることができる。それは言語が生まれる以前にも存在したかもしれない。民話や神話や伝説など、いまも様々な形で語り継がれている物語化された動物や植物は、イソップ寓話のキツネがそうであるように、人間や人間社会のある属性を表す比喩や象徴としての側面をもつことは確かだ。しかし、それではなぜ彼らは動物として表されるのか。動物ではなく人間だったとしたら、これらの物語ははたしてこれほど広く長く語り継がれてきただろうか。そしてこれからも語り継がれていくだろうか。

このように考えると、物語とは、人間以外の生きものによって人間が語らされるものだということもできそうだ。一人ひとりの語り手に固有の心性と身体性を通して、差異を伴う反復によって新たなエネルギーを得ながら語り継がれていく物語は、まるでそれ自体が生命力と意志をもつ生きもののようでもある。生きものとしての物語は、環境破壊によって生物多様性が地球規模で急速に失われつつある現代に、どのような新たな姿を現すのか。森を他者、すなわち女性に見立て、人間＝男性の視点から語られてきた自然征服の物語が持続不可能であることが明らかになったいま、長い長い年月をともに生き延びてきた物語と生きものたちは、それぞれの生き残りをかけて、どのように共進化を遂げるのか。

マルチスピーシーズ物語の森へ、ようこそ。

種差別とジェンダー差別が交差するところ

熊谷謙介

自然界に属すると見なされる〈動物〉と、人間界の秩序である〈ジェンダー〉はどのように重なり、交錯し、絡み合うのか。本書『動物×ジェンダー』の「×」には、まずはこのような交差性の意味が込められている。

古来、人間は動物を自らの対立項として、動物を支配する、生殺与奪の権利を与えられた存在として自己を定義してきた。これは種差別主義ということができる。

『旧約聖書』の「創世記」にみられる、「我々［神］にかたどり、我々に似せて、人を造ろう。そして海の魚、空の鳥、家畜、地の獣、地を這うものすべてを支配させよう」「産めよ、増えよ、地に満ちて地を従わせよ。海の魚、空の鳥、地の上を這う生き物をすべて支配せよ」（新共同訳）という言葉。これを、西洋文明での種差別主義の一つの起源として解釈できるかは諸説あるが（人間は神に委任された生物の支配者なのか、それとも管理者＝番人なのか）、神が自身にかたどって、男性と女性を創造したプロセスとあわせて考察すべきだろう。

実際、西洋文明のもう一つの源流である古代ギリシャのアリストテレスの思想には、女性差別と動物蔑視とが緊密に連係した姿を確認できる。

牡と牝との関係について見ると、前者は自然によって優れたもので、後者は劣ったものである。また前者は支配する者で、後者は支配される者である。そしてこのことは凡ての人間においても同様でなければならない。

だから、他の人々に比べて、身体が霊魂に、また動物が人間に劣るのと同じほど劣る人々（略）は誰でもみな自然によって奴隷であって、（略）支配を受けることの方が善いことなのである。(1)

理性あるいは「霊魂」によって、男性（man）を女性から、そして人間（man）を動物から峻別して、支配／被支配という非対称的な関係として捉える思想は、キリスト教神学にアリストテレス哲学を導入しようと試みたトマス・アクィナスに代表されるように、西洋文明、そしてそれを取り入れた近代文明全体の基本概念になったことは、まちがいない。世界の設計者を神ではなく自然だと考え、人間と動物を連続的に扱うチャールズ・ダーウィンの進化論以降も、「存在の大いなる連鎖」に基づく連続的な階層イメージのなかで、女性は男性よりも動物に近い存在として認識されたのである。

まずはこのような二項対立の図式、そして種差別がジェンダー差別に、さらには人種差別につながっていく構造の脱構築が求められるだろう。人間に対する知《サイエンス》である人類学でマルチスピーシーズ的転回が起き、ジェンダー論でクィア的転回が起きる時代にあっても、伝統的な二項対立の内部から差別の構造を解析することの意義は計り知れないといえよう。

人のように、獣のように

昨今注目されるようになった「交差性（intersectionality）」の議論では、例えば人種とジェンダーの交差性について、白人女性が突き当たる問題と黒人女性のそれとでは大きく異なり、黒人女性の苦しみは可視化されにくい状況にあるといった指摘がされる。この場合、「白人／黒人」という二項と「男性／女性」という二項は、×というかけ算によって「白人男性／白人女性／黒人男性／黒人女性」というように構造化されるわけである。

一方、動物とジェンダーはかけ算のように交差するわけではない。アリストテレスの言説に即していうなら、動物も女性も「人間＝男性（man）」に対して劣位にあるということになるが、動物で女性という存在（あえていうならば「メス」）は原理上、人間で女性という存在とジェンダー秩序において比較はできないものである。なぜなら、男性／女性というジェンダー的差異はあくまで人間の世界だけに適用される秩序であり、オス／メスという生物学的差異とは異なるものだからである。

他方、人間と動物に類比関係がみられるとすれば、それは想像の世界で動物を「人のように」、人間を「獣のように」扱う比喩の作用によるものである。これこそが交差性を論じる際、〈動物〉を一つのファクターとして導入することの特徴といえる。実際には、〈動物〉が〈人間〉になることも、〈人間〉が〈動物〉になることも不可能だが（生物学的にはヒトは動物の一種であるが）、この越境不可能な二つの項に橋をかけるものこそ、擬人化や擬動物化という想像作用であり、文学や芸術で用いられるフィクションの技法なのである(2)。

本書が表象分析にこだわる理由もここにある。動物行動学や人類学、社会学などによる「動物や人間は実際にどのように振る舞うのか」という問いをふまえたうえで、わたしたちが注目するのは、現実にはありえないような、人間の言葉を使って議論する動物たちの姿であり、犬を愛するあまり犬へと変身する女性の思いなのである。

メタファー、変身《メタモルフォーズ》、虚構のプロセスを分析するには、文学作品や芸術行為の表象作用をみなければならない。狭義の比喩表現だけではなく、反リアリズム小説からおとぎ話、ファンタジーや児童文学、そのなかの挿絵、さらには紙芝居に至るまで、本書の分析対象は拡散しているようにみえるかもしれないが、そこで一貫して問うているのは人間の想像作用における動物とジェンダーの位置づけなのであり、その相互の連関なのである。

そしてこれは、ダナ・ハラウェイの『猿と女とサイボーグ——自然の再発明』（一九九一年）という書名が端的に示しているように、ポストヒューマン的状況をも遠望するような異種間コミュニケーションの可能性を示すものでもある。人間と動物を区分けしていた自然の秩序は、文化や技術によって再発明されるのであり、そこでは野生動物に代わって伴侶種が前景化することになる。

彼女の別の著作『犬と人が出会うとき——異種協働のポリティクス』（二〇〇七年）では、その原題 *When Species Meet*（種同士が出会うとき）が示すように、人間と動物の種を超えた相互作用を、アジリティー（犬と飼い主が協働しておこなう障害物競走）などを例に論じている。そこで鍵になるのが、現代のフェミニズムの一潮流ともいうべきケアの倫理、すなわち他者から独立した自己の自律的なあり方ではなく、他者をケアし、他者にケアされるなかで生成する関係論的なあり方だというのは示唆的だろう。変身物語に加えて異類婚姻譚を、マルチスピーシーズ的観点から、そしてケアの相互作用として読み直すことが、いま求められているのである。

動物という謎、ジェンダーという謎

〈動物〉と〈ジェンダー〉の交差性の徴としての×、かけ算としての×、そして比喩という二項の架け橋としての×——、本書のタイトル『動物×ジェンダー』に込めた×の最後の意味は、「謎」すなわち「ブラックボックス」としての×である。

その例として、ここでは動物と障害の関係を問う、スナウラ・テイラー『荷を引く獣たち』を参照したい。自身も障害をもつテイラーは、子ども時代に友人たちから、猿みたいに歩く、犬みたいに食べる、ロブスターのような手などと言われた経験を語っている。彼らがテイラーの気分を損ねたくてそう言ったことはわかっていたけれども、彼女はこうした言葉がなぜ自分の気分を悪くすると思われているのかが、よくわからない。というのも、猿はテイラーのお気に入りの動物だったからである。

このあとに続くのは、障害者をフリークスとして動物のように見せ物としてきた歴史の記述であり、障害者を「人間ならざるもの」として劣位においてきた暴力の系譜もまた無視されるものではない。非人間化に否応なく導かれる力と、自らのうちにある動物的なものに引かれる力とのはざまで、テイラーが提案するのは、〈動物〉と〈障害〉の間にあるとされる連関を、あるときは肯定しあるときは否定しながら、障害の有無で価値判断をしないのと同様に、人間性と動物性をはかりにかけないという姿勢である。

いかにしてわたしたちは、人間性と動物性を同時に肯定することができるのだろうか。人間以外の動物と否定的な仕方で比較されてきたわたしたち障害者が、いったいどうやって人間としての価値を、人間としての優位性を暗示したり、わたしたち自身の動物性を否認せずとも、主張することができるのだろうか?(3)

これをジェンダーに当てはめれば、例えば女性は本能の赴くまま行動する反理性的な存在として、〈動物〉に例えられた歴史があったが、それを偏見として否定しながらも、女性のうちに(そして男性のうちにも)存在する野性を〈動物〉ともども肯定すること、といえるのではないだろうか。女性差別と動物差別は相互に絡み合いながら連綿と続いてきた。それに対して、「女性は動物ではない」と反論するだけでなく、〈女性〉も〈動物〉も合わせて肯定すること、さらにはクィア的・マルチスピーシーズ的な視点から多様な性や異種間でのコミュニケーションのありようを明らかにし、それらの存在を肯定すること――、このような企図こそ本書がささやかな形ではあるが試みることである。

*

本書は二部から構成される。第1部「記された〈動物〉と〈性〉」では文学に対象を絞る。「創世記」やローマの建国神話から、おとぎ話・民話を経て、グローバル化した巨大なアダプテーション装置としてのディズニーに至るまで、人類はたえず動物との関わりのなかで自らの物語を紡いできたが、ここでは日本現代文学にスポットを当てる。戦後文学での男性支配の状況から出発しながらも、女性たちを作品の鍵を握る人物として登場させるようになる大江健三郎の試みから、世紀転換期の二人の女性作家の動物文学に至るまで、日本文学という言葉と想像の空間で、〈動物〉と〈性〉がどのように結び付き、どのように交錯していくかをみていくことにしたい。

第1章「共苦による連帯とその失敗――大江健三郎「泳ぐ男」における性差と動物表象の関係を手がかりに」（菊間晴子）は、犠牲獣という主題から大江の作品群を読み解いた著作『犠牲の森で――大江健三郎の死生観』（東京大学出版会、二〇二三年）の延長線上で、ジェンダー論的視点から昨今さかんに論じられている『「雨の木《レイン・ツリー》」を聴く女たち』（一九八二年）所収の「泳ぐ男」を分析する試みである。予想に反してまず指摘されるのは、性暴力の犠牲となる女性たちよりもむしろ、加害者たる男性たちに対して動物のイメージがあてがわれている点であり、犠牲になる動物への共苦という枠組みを考えるならば、女性の苦しみに思い至らない大江のジェンダーバイアスも確認できるだろう。しかし、共感のメディアともいうべき小説であっても、他者を理解するというプロセスは障害なく実現するものなのだろうか。ここで問われているのは、ある意味ではジェンダーを超えた、大江による共同性の試みであり、動物表象だけでなく植物表象にも注目することで、後期の仕事《レイト・ワーク》への展開が遠望される。

編者として付言するならば、戦後文学、とりわけ大江をはじめとする男性作家たちが主体性をめぐって用いてきた動物の比喩は、二十世紀末、今度は女性作家たちを中心に多様な形で展開していく。その嚆矢は、動物とヒトの境界を踏み越えることさえも事件にならない世界を描いた川上弘美『蛇を踏む』（一九九六年）、そして多和田葉子『犬婿入り』（一九九三年）だろう。

第2章「多和田葉子の動物演劇の試み――『夜ヒカル鶴の仮面』から『動物たちのバベル』へ」（小松原由理）は、『犬婿入り』以降も熊を主人公とした『雪の練習生』（二〇一一年）など、動物と言葉の関係を一貫して問い続けている多和田に関して、相対的にふれられることが少ない演劇作品に着目した貴重な論である。一九九三年と東日本大震災後の二〇一四年という、発表時期が二十年以上も離れた両戯曲は、異類婚姻譚と言葉を話す動物たちというモチーフによって、人間と動物の境界を侵犯する場を可視化している点で共通する。民話とアクチュアルな言説、日本語とドイツ語の間を往還しながら、挿話や言葉の一つひとつが越境し、別のものへと連関していくさまがこの章では明らかになっていく。そこには既成のジェンダーの枠組みからの越境を示すかのような「鹿男」や「鶴男」などの登場人物、いや半人半獣の形象が現れるのである。これは動物を寓喩とすることで人間界に警鐘を鳴らそうとする、反人間主義的にみえて同時に人間主義的な振る舞いに還元されるものではなく、むしろ『動物農場』のジョージ・オーウェルなど、多くの男性作家が用いてきた修辞法に風穴を開けるラディカルさをもつものといえるだろう。

第3章「皮膚感覚的快楽の果てをめざして――松浦理英子『犬身』論」（熊谷謙介）は、現代日本文学の動物表象の金字塔ともいうべき、犬を愛するがあまり犬に変身した女性の数奇な物語『犬身』（二〇〇七年）を、性的指向（「ドッグセクシュアル」）だけでなく性自認（「種同一性障害」）の観点から読み直す試みである。松浦がデビューから一貫して表現しようとしてきたのは、愛するものと触れ合うことで身も心も感じる甘い疼《うず》きであり、この快楽について人間と犬とのじゃれ合いから考察を深めるのが、『犬身』という作品である。幼体成熟《ネオテニー》、擬犬法、動物愛、ケア、受動性／積極性といったキーワードを通して物語を読み解くと、ある種通俗小説としても読める

『犬身』がもつ先鋭的なアクチュアリティが浮かび上がる。異種間のコミュニケーションの喜びとはどのようなものかという問題は、人間と犬だけでなく、狼という野生動物の視点からも、作品中で議論される。その果てにある、単なるスキンシップに還元されない「鋭い喜び」、連帯も含み込むような愛のあり方は、松浦文学の深化をも示すものだといえよう。

ここまでの日本文学を分析対象とする第1部から、狩猟文化や映画など、文化表象全般に対象を広げる第2部「多様な種の文化表象へ」への橋渡しとして、第4章「マルチスピーシーズ・フェアリーテール研究序説」（村井まや子）がある。まさに文学のふるさとともいうべき民話から始めて、物語論や民俗学の見地も導入しながら、現代のジェンダー論的・多種共存的な見地に適合する形でのおとぎ話分類法へ導く展開は刺激的である。イソップ寓話など、動物になぞらえて人間に教訓を与えるかのような寓話もまた、動物そのものの物語として読み替えることができる点や、女性を犠牲者や受動的な存在とする龍退治という物語が、特権的な位置を与えられてきた歴史も、無視してはならないだろう。こうした問題点をふまえて提案された分類法について、とりわけ最後のカテゴリー「複数種の社会」を映し出す物語は、主人公や登場人物（動物）同士の関係に還元されがちなおとぎ話分析に、コミュニティという観点を導入するという点で鋭い指摘であり、第2部へと読者を誘う意味でも重要だろう。

第2部の最初の論考である第5章「銃を持つダイアナ――二十世紀転換期アメリカにおける狩猟とジェンダーをめぐる言説」（信岡朝子）は、「狩猟をしてきたのは男性」という定説が考古学的調査によって覆されたという指摘から始まる。いやむしろこの発見を伝統的な分業観を揺り動かす「事件」とした現代のジェンダー・イメージにこそ、本論は注意を向けるのである。世紀転換期の北アメリカの狩猟文化を男らしさの観点から振り返り、そこには二重の「男性性」が存在すると指摘し、また、少なからず存在した女性ハンターの位置づけを問題とするのである。夫婦で狩りをおこなった男女が残した狩猟記は、それぞれが狩りにいったい何を見ていたのかを示す格好の資料になる。そこで発見される、女性もまた身にまとっていた「男性性」は、種差別主義だけでなく、植民地主義や科学という名のもとでの文明化の使命などとも絡み合って、現在に至るまで狩猟文化を基礎づけるものになっているといえよう。

第6章「オーストラリア児童文学におけるアボリジナル文化――精霊の表象を手がかりに」(鈴木宏枝)は、舞台をオーストラリアへと移し、オーストラリア児童文学にアボリジナルの文化と精神性がどのような位置を占めるかを、精霊の表象と女性の身体性を手がかりに考察している。人間と異なる種については、動物を超えて精霊の表象も取り上げられることになる。アボリジナルの伝統文化を積極的に取材した白人女性作家パトリシア・ライトソンについては、その歴史的功績とともに、現在ではオリエンタリズムや文化盗用、そして男性優位主義が指摘されるが、二つの作品を詳細に分析することで、捕らわれ、男性たちに所有され、都合よくコントロールされる女性の身体をみる視点は重要だろう。それに対して、現代アボリジナル作家スー・マクファーソンは精霊をどのように表象するのか。当事者性という問題だけでなく、児童文学やファンタジー、口承文学の再話など、異種表象の特権的な場をめぐる考察は、時代や地域を超えた視点を提供してくれるはずである。

第7章「モクモク村のQちゃん――「野性」と「男性性」のクィア・リーディング」(菅沼勝彦)は、ここまで依拠してきた動物表象をめぐる「男性/女性」という二項対立を解体する視点を提供してくれる。日本固有のメディアといっていい紙芝居と英会話教材のハイブリッドである『モクモク村のけんちゃん』は、環境汚染を防ぐべく(公害が大きくクローズアップされた一九七〇年代の空気を反映しているのだろうか)、艱難辛苦を乗り越えて魔王と対決する男の子の冒険物語だが、そこにクィア的視点での読み替えがおこなわれる。ドラァグ・クイーンともいうべき魔王、そしてその非境界的《ノンバイナリー》な過去など、物語は予想を超えた展開を示すが、そこで鍵になるのが、「恥」という両義的な情動であり、野性や動物と結び付く「フェロックス」という概念である。そして、けんちゃんを先導し通訳を務める九官鳥の九ちゃんの存在は……。「男性=人間」の規範からの変容はありうるのか、けんちゃんの行く末を見届けてほしいと思うのと同時に、本書では大きく扱えなかった鳥類を取り上げた意味でも貴重な論だろう。

本書を締めくくるのは、第8章「ワクチンとしての物語――章夢奇のドキュメンタリー作品における女性の語りを手がかりに」(秋山珠子)である。私たちはこのウイルスに対して、電子顕微鏡によって浮かび上がったコロナ(光輪・王冠)という形状をした姿を介して、長らく「想像」してきたわけだが、この作品においてこのような比喩は、女性たちの「語り」へと展開する。そこにはメディアとの拮抗関係があり、少女たちが紡ぐファンタジーにはある種のヒロイズムも確認できるほどだが、それにも増して印象的なのは、彼女たちの「ウイルス語り」に出てくる生き物たちの多様な姿である。この物語の数々は伝承やユーモアに彩られたものでありつつも、社会のみならず家庭という環境の危機から身を守るべく生み出された「伴侶種」なのではないか？　このような問いから始まって、家畜／野生動物の脱構築や、存在と不在を架橋する想像力、ケアと諦念、そして複数の時間といった視点によって読者が導かれるのは、二〇二〇年中国の小さな農村の「自画像」であり、それはまた、ウイルスをはじめとする多様な種と共生を果たしてきた人類の「自画像」でもあるだろう。

＊

本書は、神奈川大学人文学研究所の共同研究「〈身体〉とジェンダー」による二〇二〇年度からのプロジェクト「種・動物とジェンダー」の研究成果である。本書刊行にあたり、神奈川大学人文学研究所叢書刊行助成金を受けた。記念になる五十巻目として出版できたことに、感謝を申し上げたい。

二〇二〇年度からの企画だったものの、新型コロナウイルス感染症の拡大に伴い、対面での研究会は難しい状況が続いた。一方で、このような惑星規模での種を超えた感染という現象は、マルチスピーシーズ的な世界認識を実感するきっかけにもなった。マルチスピーシーズ人類学を先導する奥野克巳は、『絡まり合う生命』のなかで、東アジアで流行をみせた鳥インフルエンザに関して『流感世界』(二〇一七年)を著したフレデリック・ケックがコロナ最初期に記した言葉を、次のように紹介している。

コウモリはヨーロッパの国民が田舎から都市に集住してきた十九世紀には中世の悪魔として想像されていましたが、今日の田舎では親しい隣人であり、さらに森林破壊のためにより都市圏に近づいてきています。コウモリがどのようにウイルスと共生しているのかについて、もっと多くのことを学ばなければならない。(4)

今回の新型コロナウイルス感染症に関してコウモリ伝播説をとるにせよとらないにせよ、コウモリを伝染病の感染源として忌避したり異種との交流を遮断したりするのではなく、むしろコウモリの生態にこそ教わる部分は大きいのではないか。そこにはファクトとしての生物学的な知見だけでなく、「悪魔」であれ「隣人」であれ、フィクションとしての動物に関する想像が大きく関わっていて、その解明のために表象=イメージ分析が担えるものは少なくないだろう。哲学でトマス・ネーゲルが発した問い「コウモリであるとはどのようなことか」に対し、「生きているコウモリであるということは充足した存在であるということです。(略)自分は空間に広げられる手足を持った肉体であり、この世に生きている存在であるという感覚であり、激しい感動的な感覚なのです」と答えたのは、文学者J・M・クッツェーの特異な形式の作品『動物のいのち』(5)だった。そして、こうした種をめぐる想像は、ジェンダーをめぐる想像と絡み合っているのではないか……。このように次々に浮かぶ疑問が最初の問題設定であったことは、ここに書き残しておきたい。

その後、動物とジェンダーという主題を中心にオンライン研究会を続け、二〇二〇年度に新規に参加したメンバーとともに議論を重ねてきた。本書のテーマとは別な問題を扱った研究発表も少なくなく、それらの研究については今後、本書とは別の形で多くの方々と共有できればと考えている。

本書のテーマを設定する際、『快楽としての動物保護――『シートン動物記』から『ザ・コーヴ』へ』は大いに参考になった。その著者である信岡朝子氏に二〇二二年八月、「狩猟と男性性――北米におけるホワイト・ハンター神話と「存在の大いなる連鎖」」というタイトルで講演していただいたのは貴重な機会だった。これにとどまらず、講演の内容をもとにしながらも新たな知見を加えて執筆していただいたのが、第5章である。また、二三年に出版された画期的な大江健三郎論『犠牲の森で――大江健三郎の死生観』に感銘を受け、著者の菊間晴子氏に本企画の説明をし、同書のテーマをジェンダー的観点から展開して執筆してもらったのが、第1章である。

お二人には感謝を申し上げるとともに、研究会による叢書である『男性性を可視化する――〈男らしさ〉の表象分析』(〔「神奈川大学人文学研究叢書」第四十四巻〕、青弓社、二〇二〇年)の序文を繰り返すならば、共同研究の網が様々な拠点へと広がり、個人研究では得られにくい、予想もしないような発見を得る機会がさらに多くなることを願っている。昨今、研究、とりわけ異分野の研究者との共同研究をおこなう時間をなかなかとれなくなっている日本の大学の状況に鑑みれば、このような共同研究の成果を出版という形で世に問うことができることは、幸甚というほかない。

そして、本叢書の共同編著者を務めてもらい、おとぎ話文化研究所とMultispecies Fairy-Tale Library Projectのほうに二〇二四年度から本格的に軸足を移す村井まや子氏に、この論集がいくばくかのはなむけになればと思う。個人的な思いになるが、これまで長らく言葉では言い尽くせないほどお世話になった。男性がほぼいなかった当時の研究会に新任の私を温かく迎えていただいたことは、いまもなお忘れることができない。これからも「〈身体〉とジェンダー」研究会として共同研究をともに続けていくことに変わりはないが、様々な種が群れ集う空間をテーマとした叢書を一緒に作ることができたことに大いなる感謝の気持ちを伝えたい。

最後に、本研究会の出版を長年引き受けてもらい、今回もわたしたちの様々な内容の論考と数多くの要求をとりまとめて丁寧な編集によって本書を完成に導いてくれた青弓社の矢野恵二さんにお礼を申し上げたい。動物とジェンダーを論じた本書についても、読者諸賢のご意見、ご批判をいただきたいが、本書を踏み台として新たな論が生まれることを願ってやまない。

注

(1) アリストテレス「政治学」第一巻第五章、山本光雄訳、山本光雄編『アリストテレス全集』第十五巻所収、山本光雄／村川堅太郎訳、岩波書店、一九六九年、一四ページ

(2) 対照的にみえる擬人化と擬動物化、とりわけ一見すると人間中心主義のようにみえる擬人化の秘密を明らかにする試みとして、以下を参照。信岡朝子『快楽としての動物保護——『シートン動物記』から『ザ・コーヴ』へ』(講談社選書メチエ)、講談社、二〇二〇年、二一六—二一九ページ、矢野智司『動物絵本をめぐる冒険——動物—人間学のレッスン』勁草書房、二〇〇二年、四三—九九ページ

(3) スナウラ・テイラー『荷を引く獣たち——動物の解放と障害者の解放』今津有梨訳、洛北出版、二〇二〇年、一九〇ページ。この本には、『動物の権利』(一九七五年)という書名のとおり動物の権利を主張する一方で、障害者の生の質は低いという発言を繰り返すピーター・シンガーとの議論も含まれている。交差性全般の問題を考えるうえでも重要な議論である。

(4) 奥野克巳『絡まり合う生命——人間を超えた人類学』亜紀書房、二〇二二年、一六九ページ

(5) J・M・クッツェー『動物のいのち』森祐希子／尾関周二訳、大月書店、二〇〇三年、五二—五四ページ

第1部 記された〈動物〉と〈性〉

第1章　共苦による連帯とその失敗
——大江健三郎「泳ぐ男」における性差と動物表象の関係を手がかりに

菊間晴子

1　大江作品にみられる動物表象

大江健三郎（一九三五—二〇二三）は、学生作家としてデビューしたのち、八十八歳でこの世を去るまで、その長いキャリアのなかで数多くの作品を生み出し続けてきた。戦争の記憶、政治と性、父と天皇制、障害をもつ息子との共生、「谷間の村」の神話と歴史、宗教的コミュニティ。彼が取り組んだテーマは多岐に及ぶが、その小説世界には、様々な動物たちの気配が色濃く漂っていることも、注目すべき点である。大江作品の動物表象に注目した著作としては、村上克尚『動物の声、他者の声』[1]などがある。筆者も拙著『犠牲の森で』[2]では、大江作品のなかの動物のイメージが、傷ついて死んでいった犠牲者の肖像、さらにその亡霊性と不可分であることを新たに指摘し、キャリアを通じてのその変遷について考察した。

例えば彼が東京大学在学中の一九五七年、「東京大学新聞」五月号に発表した短篇作品であり、実質的なデビユー作といえる「奇妙な仕事」は、大学の付属病院で飼育できなくなった犬たちを処分するアルバイトに従事する大学生「僕」を語り手としている。「僕」は、「犬殺し」の男が主導する、犬を殴り殺しその皮を剝ぐという一連の作業に協力し、犬の血と脂の臭気に苛まれる。理不尽に殺される犬たちの気配は、その作業が終わっても、その体から剝がされたばかりの生皮のような手触りを伴って、「僕」に取り憑いて離れない。また、「空の怪物アグイー」（一九六四年）で描かれるのは、自らの赤んぼうを利己心から殺めてしまい、その赤んぼうの亡霊である「アグイー」とともに生活しているかのように振る舞う音楽家Ｄの姿である。Ｄは最終的に、自らトラックの前に飛び出して死を選ぶことになるのだが、空の高みから降りてきて彼に憑依する「アグイー」は、「カンガルーほどの巨きさで木綿の白い肌着をつけた赤んぼう」[3]という不気味な姿をしている。また、『同時代ゲーム』（一九七九年）では、「村＝国家＝小宇宙」の創建者の一人でもある巨人「壊す人」が登場するが、彼は村人たちにとってじゃまになったために殺され、バラバラに解体されたと伝承されており、その後「犬ほどの大きさのもの」へと再生したという。語り手「僕」は、「村＝国家＝小宇宙の神話と歴史」を書き記すなかで、この「壊す人」に自らが憑依された経験を回想していくことになる。このように大江作品では、暴力的な所業の犠牲になって死んでいった犠牲者の亡霊的再来が頻繁に描かれ、しかもその多くが動物のイメージと接続しているのである。

　大江作品の語り手、あるいは作品の中心人物としての男性たち――その多くが大江自身の似姿であることはよく知られている――は、その犠牲者＝犠牲獣の亡霊に憑依されるように、彼らの感覚を共有する。しかしながら、大江作品に登場する犠牲者たちすべてが、動物表象と結び付いて亡霊として回帰するわけではない。特に注目すべきは、性暴力の犠牲になってむごたらしく死にゆく女性たちの存在である。その代表例が、連作短篇集『「雨の木《レイン・ツリー》」を聴く女たち』（一九八二年）に収録された一篇「泳ぐ男――水のなかの「雨の木《レイン・ツリー》」」に登場する、「猪之口さん」という女性である。先述の拙著でもこの作品を考察対象とし、大江作品に登場する犠牲者＝犠牲獣の系譜に猪之口さんを位置づけて分析をおこなった。しかしながら、彼女以外の登場人物にも目配りをしながら、この作品の複雑な構成と内容に踏み込んで詳細に検討するには至らなかった。

そこで本章では、語り手である中年の男性作家「僕」が猪之口さんに向けるまなざしと、彼女の死に関わったとされる二人の男性に向けるまなざしとを比較しながら、彼らに付与されるイメージの差異を分析していく。この作品での性別（セックス／ジェンダー）と動物表象の結び付きに着目することによってみえてくるのは、他者理解、そして他者との連帯可能性をめぐっての鋭い問題提起である。

2 想像力の挫折の物語としての「泳ぐ男」

「泳ぐ男――水のなかの「雨の木《レイン・ツリー》」」（以下、「泳ぐ男」と表記）は、「新潮」一九八二年五月号（新潮社）に掲載されたあと、『「雨の木《レイン・ツリー》」を聴く女たち』に、その最後を飾る短篇として収録された。冒頭では、小説作者としての「僕」が登場し、この短篇がもともと、「雨の木《レイン・ツリー》」の暗喩《メタファー》をめぐる長篇小説の一部だったことが語られる。現実の世界から失われた「雨の木《レイン・ツリー》」を探し求める主人公「僕」の姿を描いたその長篇は、「濃淡の網目のような、波だちの影が映るプールの底に、大きな「雨の木《レイン・ツリー》」の全体をくっきりと見て、「僕」がそのこまやかな葉叢をぬいながら泳ぎつづけるシーン」(4)で幕を下ろすはずだったのだが、書きためた草稿を読み直した小説作者「僕」は、その大半を廃棄してしまった。その理由は、「この草稿のつづきとしていつまで書きつづけても、主人公の「僕」がプールの水底に「雨の木《レイン・ツリー》」の再生を見ることはないと納得されたから」(5)なのだと、小説作者「僕」は語る。その長篇の草稿のうちのまとまりがある一部を改稿したものが、この「泳ぐ男」である、と定義したうえで、作品は幕を開けるのである。

『「雨の木《レイン・ツリー》」を聴く女たち』所収のほかの短篇と同じく、「泳ぐ男」（そしてそのもとになった「雨の木《レイン・ツリー》」長篇）の主人公「僕」は、大江自身の似姿であることは明らかな中年作家だが、「雨の木《レイン・ツリー》」はこの「僕」にとって特別な樹木であるとされている。それは実在の樹木でありながら、彼自身がその一部として存在することを保証してくれる宇宙＝世界モデルでもあるという、複合的な性質を有している。例えば表題作「「雨の木《レイン・ツリー》」を聴く女たち」のなかでそれは、「自分がそのなかにかこみこまれて存在しているありかた、そのありかた自体によって把握している、この宇宙[6]」のモデルそのものとして定義されている。また、「「雨の木《レイン・ツリー》」の首吊り男」では、「天と地を媒介する宇宙樹」であり、人間の魂が「宇宙のなかに原子として還元される」ための樹木として語られてもいる[7]。しかしこの作品の主人公「僕」は、その「雨の木《レイン・ツリー》」をもはやこの地上に見いだしえず、そこから励ましを得ることもできないまま、現実世界で「大きい暴力の遍在[8]」に直面しながら生きていかざるをえない状況にある。そのことが、小説作者である「僕」によって、「泳ぐ男」の冒頭で示されるのである。

「泳ぐ男」をめぐるこれまでの研究で主に注目されてきたのは、この主人公「僕」の語りからなる作品の構造そのものである。例えば吉本隆明は、強姦殺人事件の真実をめぐって、語り手である「僕」の想像力・推理力が複数の世界解釈の系列を連結していくのに、結局どこにも行き着くことがかなわないまま作品が閉じられることを指摘したうえで、「不安げに反転する理解と想像の系列が、枠組みを喪失したまま輪郭が危うく保たれている世界模型を造り出している[9]」と論じている。つまり吉本は、この作品の前提になっている「自明さの否認と懐疑[10]」の運動性から形作られる危うい「世界模型」こそが、宇宙＝世界モデルとしての「雨の木《レイン・ツリー》」がすでに失われてしまった現実世界のあり方だと解釈するのである。また榎本正樹は、この吉本の考察をふまえながら、「泳ぐ男」の結末部分が単行本化に際して大きく改稿されていることを指摘している。次の性犯罪に向かって突き進もうとする青年の姿が強調される結末への改稿によって、まもなく発露するはずの性の暴力のうちに「「雨の木《レイン・ツリー》」なきこの世界で暴力に脅かされ核の脅威に剝きだしになっている同時代の全体像が鮮烈に浮かび上がる[11]」ような構成への変化が生じているのだと論じているのである。あるいは根岸靖子は、この連作短篇集で

「いくつものテクストを自由に越境する私《インターテクスチュアルな》」[12]を語り手―主人公「僕」として設定した大江の手法を分析したうえで、テクストを越境する試みを繰り返すうち、いつしか「フィクションのなかに雨の木《レイン・ツリー》の暗喩を再生させることで現実の（内臓に不調を抱えていることもふくめた）「僕」のすべての不調和が一挙に治癒される」[13]という夢想に陥っていた彼が、それを断ち切らざるをえない状況に追い込まれ、世界に対する無力さを突き付けられる作品として、「泳ぐ男」を位置づけている。つまりいずれの論考も、不安定かつ危機的な現実世界で、「雨の木《レイン・ツリー》」を希求する「僕」の想像力が迎えた挫折を、その作品解釈の主軸に据えているのである。

　しかしながら、「僕」がそのような挫折に至る原因となった「大きい暴力の遍在」の一つの表れであるはずの強姦殺人事件で被害者となる猪之口さんという女性、そして彼女に向けられる「僕」のまなざしについては、これまで十分に検討されてこなかったといえる。「泳ぐ男」は、猪之口さんのむごたらしい死が直接的に描かれる点、それでいて作中で焦点が当てられるのは彼女本人ではなく、むしろ彼女に対する暴力の主体である男性たちである点で、『「雨の木《レイン・ツリー》」を聴く女たち』のなかでも異彩を放つ作品である。この強姦殺人事件をめぐって「僕」が感情的に接近するのは、被害者としての猪之口さんではなく、その事件に関与したとされる青年・玉利君と、犯人として追い詰められ自死した中年男のほうなのである。彼は玉利君を救済すべく、自ら彼の罪を背負って死を選ぶという夢想をするが、それは、実際にその救済の役割を担って死んでいった（と彼が考える）中年男に、自らを重ねる夢想でもあった。つまり「僕」は、犯罪の犠牲者になった猪之口さんには感情移入をすることがない一方で、玉利君と中年男に対しては強い共感を示すのである。「僕」が見せるこのような共感性の偏りを分析することによって、「大きい暴力の遍在」を前にした「僕」の想像力の挫折の背景にあるものについて、新たな角度から考察することが可能になるだろう。そしてその分析の手がかりとして重要なのがまさに、性差と動物表象の関係なのである。

3　女性の犠牲者に対するまなざし

「僕」は、通っているプールの乾燥室で、競泳の選手である大学生・玉利君と、三十代なかばのＯＬ・猪之口さんに出会う。そこで彼は、猪之口さんが自身の水着をずらしてその乳房や下腹部を見せつけ、玉利君への性的な挑発を繰り返していることに気づく。その後彼女は、バス停のベンチに性器を露出した姿で縛り付けられて強姦され、扼殺される。「僕」と同年の夜間高校教師の男がこの事件の犯人だと見なされ、犯行後に自死するのだが、「僕」は実は玉利君こそが彼女を殺害した犯人ではないかと考える。中年男が、玉利君の罪をかぶるために猪之口さんの死体を犯したあと自死を遂げたという筋書きを描いた「僕」は、その男と同一化する夢想に浸る。

僕は濃い暗がりのなかをすぐ傍まで近づいて、下半身の衣類をすべて剝ぎとられた猪之口さんが、ベンチにあげた両足を、下腹部が突き出すかたちに縛られているのを見出す。猪之口さんはそれも下腹部をというより性器を突き出しているかわりに、ベンチの背とコンクリート塀の間に頭を落しこんでいる。そのすでに死んでいると感じられる躰の前に僕はうずくまって、性器の匂いをかごうとする。(14)

「僕」が夢想する猪之口さんの死体は、「性器を突き出しているかわりに、ベンチの背とコンクリート塀の間に頭を落しこんでいる」という姿勢をとっていて、あたかも首なし死体のような様相を呈している。拙著では、この奇妙な描写に、彼女の頭部をまなざすことを避けようとする「僕」の姿勢が反映されている可能性を指摘した。また、「僕」が生前の猪之口さんに向けていたまなざしにも偏りがみられる。その視線は、彼女の顔貌ではなく、その肉体の細部、特にその下腹部や上腿部といった、性的な成熟を示す部位に注がれる。

彼女はそれでも例外的な花やかさに思える、赤みの濃いオレンジ色の、しかも色彩が下腹部でもっとも濃くなる水着を着ていた。それは攻撃的なほど明るい色調ではあったが、四月の年度はじめの頃、新しく就職した娘らが会社の協賛施設としてクラブを使う際のような、装飾的な水着というのではなかった。それはウエット・スーツをつけぬスキン・ダイヴィングのトレーニング用水着といっていいし、そこから出ている肉体は、上腿部が豊かすぎるほどにふくらんで、それも張りつめているのではない、年齢相応の肉づきなのをのぞけば、全体によく鍛えたしまりかたなのであった。立ちあがろうとして彼女があらためて躰をねじり、右膝を立て、左足をまっすぐ伸ばすと、立てられていた上腿部の豊かすぎる肉も、膝から下の曲線へ自然につながるふうなのだ。(15)

さらに、彼女の肉体の細部についての描写は非常に詳細におこなわれる一方で、彼女の顔貌については、それがジュゼッペ・アルチンボルド『四季』の一枚に似ていると評されるだけであることも、注目すべき点である。

夏に収穫される多様な農産物で構成した人間の顔で、美術館で買っておいた絵葉書を探し確かめたところでは（それは、彼女が殺害された後のことだったが）日本人にしては長すぎるＯＬの鼻が、画の人物のキウリでつくられている鼻に似ているのだった。それと皮膚のゆるみというのではなく顎のかたちがそう見せるのだが、肉のたれているような顎が、アルチンボルドの無花果の顎に似ていもした。そしてそれらを焦点にして、桃の頬、肩を構成する桜桃の輝く赤さなど、全体に、ＯＬの乾燥室で上気している顔と通いあうものにみちていたのである。(16)

ここで言及されている絵画が、連作『四季』のうちの「夏」であることは自明である。実際の絵画と「僕」の叙述には若干の異同があるものの、そこには肖像画を形作る要素として、「キウリ」（ズッキーニ）や桃、無花果や桜桃といった野菜と果物が確かに描き込まれている。ここで明らかになるのは、「僕」のまなざしが、彼女の顔貌をバラバラの要素に分解して把握しようとする運動性を有していることである。

拙著では以上の考察をふまえ、犠牲者としての彼女の顔貌を直視することを避ける「僕」のまなざしに、『万延元年のフットボール』（一九六七年）の鷹四、あるいは『洪水はわが魂に及び』（一九七三年）の「縮む男」の死に際における語り手のまなざしとの共通点を見いだした。猪之口さんの名に「猪」の字が含まれていることからも、大江作品に頻出する犠牲者＝犠牲獣の系譜に、彼女を位置づけることが可能だろうと推察したのである。(17)

しかしこの作品を詳細に分析していくと、動物表象と直接的に結び付けられる登場人物が、実は彼女以外にも存在することがみえてくる。それは、彼女に性的に挑発され、下半身を剝き出しにした彼女をベンチに縛り付けたとされる玉利君、そして実際に彼女を強姦したうえで殺害し、自死を遂げたとされる中年男、つまり彼女に対する加害者としての男性たちだ。そして「僕」が感情的に接近しその苦しみを共有するのは、猪之口さんではなく、この男性たちに対してなのである。

4　動物としての男性

まずは、玉利君に対する「僕」のまなざしを検討していこう。事件当日にはたして何があったのか、その真実は最後まで曖昧にされたままだが、猪之口さんのむごたらしい死の一因を玉利君が作ったことは確実であり、彼が猪之口さんに対する加害者の立場であることは疑いえない。「僕」は、事件直後に玉利君の鍛え上げられた肉体が醜く肥満したのを知り、またその挑みかかるような態度を目の当たりにして、彼が猪之口さんの死に何らかの形で関わっていることに気づく。しかしここで、「僕」は玉利君を糾弾することなく、むしろ彼に対して哀憐を抱く。

> すぐにもみずから壁に激突して自己破壊してしまいそうな青年。いまは警察の追及をかわしたつもりでいるはずだが、様ざまな自責や悔い、不安のまま、かえって捜査の網にわれとわが身を投げ入れそうな、危機の玉利君をどう救助してやることができるか？ 水泳選手の玉利君にとって、いまの異常な肥満は、死んだ肉体が腐ってふくれてくるのにも似ている事態だが、そこから再び水泳する人間的な機械の玉利君にまで、どのようにすれば再生させてやれるのか？[18]

さらに「僕」は、「かれがやってしまった殺人がかれにとって帳消しになるように、おれが神の役割を代行してやることにしよう[19]」と、玉利君の罪を引き受けるようにして夢想のなかで猪之口さんを強姦するのだ。ここで「僕」は、犯罪の被害者である猪之口さんではなく、加害者である玉利君に感情移入し、その身代わりになって彼を救済しようとする。まるで「僕」にとっては、猪之口さんよりもむしろ玉利君こそが、この事件によって傷ついた犠牲者だと感じられているかのようである。実際「僕」は、この夢想のなかで、すでに扼殺されたはずの猪之口さんが、「死からよみがえって、玉利君を救助する努力に協同するように[20]」動きを起こすさままで思い描いているのである。

さらにもう一人、「僕」が感情移入するのは、事件の犯人と見なされている中年男である。「僕」がありありと思い描く、玉利君を救済するために猪之口さんを強姦する情景は、この男に同一化するものにほかならない。夜間高校の教師だった男は、「僕」と同年齢で、同じ大学の出身でもあり、アルコールを飲みすぎる性質も共通していた。「僕」はこの男について、「自分の生命を犠牲にし、汚辱のなかでわれとわが身を破壊する仕方で[21]」玉利君を救済しようとしたのではないかと想像する。玉利君の罪を帳消しにしてやりたいと望みながらも、自身はそのような自己犠牲的死を選びえないと考える「僕」にとって、この中年男は、自分のかわりにその命を犠牲に供し、青年を救助する役割を引き受けてくれた存在である。つまり「僕」はこの男を、玉利君、そして「僕」自身の身代わりとして死んだ犠牲者として認識しているわけである。

ここで注目したいのは、「僕」が感情的に接近し、「身代わり」という非常に密接な関係によって自らと結ばれていると感じているこの二人の男性には、ともに動物のイメージが結び付けられていることである。玉利君は、冒頭の乾燥室の場面において、永い練習のあとで「追いつめられたイタチのように疲労困憊して不機嫌[22]」な様子だったと表現されていた。体軀はそれほど大きくないが敏捷な肉食獣である「イタチ」は、脆弱性と凶暴性を併せ持つ玉利君という人物をなぞらえるのにふさわしい動物である。そして中年男の死に際には、「鳩」の存在が印象的に描き込まれている。犯行後に追い詰められた彼は鳩小屋に逃げ込み、そこで自死を図るのだが、その瞬間には小屋内に囲われていた大量の鳩が跳びたったという。

そのうち突然になにごとか叫びかえしながら、鳩小屋にかくれていた男が、鳩ともども追跡者の頭上に跳びたつようだった。しかし男のみはガクンとあと戻りして、頸に巻きつけたベルトで出口の柱に引きつけられ、一瞬にして頸の骨を折っていた。[23]

「僕」がこの男の最期を、鳩小屋から「跳び降りた」のではなく「跳びたつようだった」と表現しているのは、男の死に際の肉体があたかも一羽の鳩のように想像されたからだと考えられる。下降よりも上昇の運動性を強調することで、取り返しのつかない罪を犯した青年に救済をもたらすために自己犠牲的な死を遂げたとされるこの男と、人類の罪をあがなうために十字架に登ったイエス・キリストの肖像が、「僕」の想像力のなかで結び付いていることが示唆されているとも解釈できるだろう。よく知られているように、キリスト教で鳩は重要なモチーフであり、イエスの洗礼の際に現れた聖霊は、鳩の姿になぞらえられもする。(24)

動物のイメージと結び付いたこの二人の男性に対して、「僕」は強い共感性を示し、ほとんど取り憑かれるかのように、想像のなかで罪を犯した（はずの）彼らと、自分を同一化させていくのである。

5 非-動物としての女性

しかし「僕」は、性暴力を受けて命を落とした当事者である猪之口さんに対して、玉利君と中年男に対してのようには感情的に接近することはない。このような彼の態度は、事件後だけでなく、生前の彼女に対しても同様だった。

猪之口さんは、乾燥室で玉利君を性的に挑発していたことを「僕」に気づかれたのをきっかけに、彼女の「強姦され癖(25)」を表すエピソードとして、自身がメキシコとスペインで被った性暴力について語りだす。「僕」は、メキシコでの経験を愉快な様子で語っていた彼女が、思いがけず涙を流したのも目撃している。しかしながら「僕」は、傷ついた猪之口さんに特に感情移入することはなく、彼女があけすけに話すそのような経験談を聞きながら、身体反応として勃起していたことを告白しもする。つまり、「僕」という男性の語り手が、猪之口さんという女性の苦しみに共感するよりも、彼女によって喚起される性的な欲望に支配されていたことが、ここで暴露されているのである。

「僕」が唯一、猪之口さんに思いを馳せる様子を見せるのは、セゴビアからマドリッドへ向かうバスから見えた放牧地の石積みを、ひとり想起する場面である。

> 強姦が昼食時の出来事であったという以上、セゴビア発のバスはやはり陽の高いうちに出て、マドリッドの市街へは居酒屋《メソン》が生きいきした精気をあらわしてくる時刻に到着したことだろう。それならばわずかばかりスペイン語を話すことが不幸の種子になって、新スペインでも旧スペインでも、野天で強姦された娘は（玉利君の眼をつうじていうなら、およそ女性的なものの爛熟の盛りの年上の女ということになるが）、やはりあの荒蕪の山腹に先祖代々石塊を掘りおこして運んだ者らの、谷底から尾根にいたる石積みの囲いが、西に移った陽の影をはらみくっきりと黒ずむのを見ただろう。ほかに眼にうつるものとてはない永い道のりが続くのだから。——猪之口さん、あの石積みの影の長い線は、それが強姦された後であったにしても、あなたの気持が恢復する方向にみちびいたのじゃありませんか？　もしそうだったとしたら、つまり悲惨な心において荒涼たる山腹を見あげているうち、陽の移り行きがつくる黒ずんだ褐色の線を見て、恢復の道を辿りはじめた人であなたがあるなら、われわれは、これまでとはちがった仕方で話し合うべきではありませんか？　つまりあなたと僕と、いつも沈黙しているけれども、誰よりあなたと緊張して対峙すること激しい玉利君とで、それができるのじゃないですか？[26]

「僕」は、猪之口さんがかつて経験した性暴力についての悲惨な思いから逃れられずにいると仮定し、彼女も目の当たりにしたにちがいないスペインの石積みの眺めを思い起こすことによって恢復の道を歩き出すべきだと、心の内で彼女に呼びかけるのだが、その提言は「早くこの種の不毛な挑発のゲームはやめて、あなたはさっさと玉利君と寝ればいい。あのセゴビア—マドリッドの高速道路から見える、石積みの陰のような場所をさがして[27]」

という結論に帰結する。つまり「僕」は、猪之口さんの恢復の道筋にあるべきものとして、玉利君との充実した性的関係を想定しているのである。そこにはやはり、性暴力の被害者としての女性よりも、彼女に挑発され続ける哀れな青年に対してこそ同情を寄せる、「僕」の心情が反映されていると考えられる。

また注目したいのは、この猪之口さんが、「猪」という動物の記号をその名に含んでいるのにもかかわらず、むしろ常に「果実」のイメージをまとって作中に描出されていることである。[28]「僕」が猪之口さんの顔貌について、アルチンボルドの連作『四季』のうちの一枚に似ていると評していることについてはすでに述べたが、この絵画を構成する数多くの野菜や果物のなかで、「僕」が特に注目し彼女の顔の部位に結び付けているのは、「キウリ」（ズッキーニ）、桃、無花果、桜桃という、柔らかくみずみずしい実のイメージなのである。また、彼女の顔貌だけではなく、その肉体までもが野菜や果物になぞらえられていることも注目すべきである。例えば「僕」が乾燥室で水着姿の彼女に対峙したとき、玉利君への挑発の延長として彼女があらわにした乳房は、「大きい野菜」に例えられている。

> それから棚にもたれていた背を起すと、水着の肩紐を外側にはずして、あらためてあらわにした乳房の下で、水着を内側に折りこんだ。そしてたたみこんだ水着が安定すると、押えていた両手をあげて、大きい野菜でもあつかうように乳房をひとつずつ持ちあげて位置をただす具合にした。[29]

またこの場面では、彼女の尻の線が「無花果のような輪郭[30]」に際立った様子であったことも語られている。彼女の肉体の部位、その柔らかい質感が、まさに野菜や果実のイメージによって表現されているのである。

猪之口さんが語る性暴力の経験談にもまた、果実のイメージが頻繁に顔を出す。ミティオワカンのピラミッドで被害に遭う前、メキシコ・シティーからピラミッドへ向かうバスのなかで、彼女は乗車している女性たちと親しくなり、「黄色の小さいマンゴーをもらっておつゆをバスの床にたらしながら食べたり」[31]したと語る。また、セゴビアの壊れた工場のかげで強姦された際には、マロニエの実がまわりに落ちてきたのを記憶しているという。

　大きなマロニエの樹が、廃工場の建物に覆いかぶさっているの。その茂った大ぶりの葉の間から、棘だらけでうす緑の、小さな機雷のようなものが落ちてくるでしょう？　地面に衝突すると、凄い勢いではじけてね、濃いチョコレート色の、内臓みたいにヌメヌメした、傷ひとつない球体が、私の鼻先まで転ってきたわ。[32]

つゆのしたたる、あるいはヌメヌメした質感の果実の描写に、性的な含意があることは明らかであり、「性的にvulnerableなところがあった」[33]と評される猪之口さんの生そのものが、これらの果実になぞらえられているといえる。事実、ミティオワカンのピラミッドの、「崩れた大理石と漆喰の粉」のなかで裸にされて横たわっている彼女のそばに、「蟻が通ってきていた」ことが印象的に述べられもする。[34]ここでの彼女の身体は、まさに乾いた路上に転がり、そこに蟻が群がる果実のような様相を呈している。

　柔らかくみずみずしく魅惑的、しかしそのぶん崩れやすくもある果実のイメージをまとった猪之口さんという女性の背後には、『旧約聖書』の「創世記」に登場する、禁じられた果実としての「知恵の実」を口にし、アダムにもそれを食べるよう勧め、ともに楽園を追放されたイブの肖像が透けて見える。ここで思い起こしたいのは、強姦殺人事件の犯人として、大量の鳩とともに空へと跳びたって死んでいった中年男には、明らかにイエス・キリストのイメージが重ねられていたことである。「僕」が想像する筋書きのとおり、この男が、罪を犯した玉利君を救済するために自ら罪を引き受けて犠牲となった人物だとするならば、玉利君はイブ＝猪之口さんに唆されて原罪を背負ったアダムに、中年男はその原罪をあがなったキリストになぞらえることができる。このように、キリスト教的文脈のもとでイメージ分析をおこなうと、イブとしての女性と、彼女の誘惑から始まった原罪—贖罪のドラマに巻き込まれていく二人の男性という構図が、この作品に重なって見えてくるのである。「僕」の想像力のなかで原罪−贖罪のドラマを演じることになる二人の男性は、動物のイメージを伴って作中に登場し、「僕」の強い感情移入の対象になる。けれども、そのようなドラマの背後には、「僕」にとって共感の対象にならない非‐動物としての女性、果実としての女性が、ひっそりと存在しているのである。

6 共苦から生まれる動物との連帯

哲学者ピーター・シンガーは、その有名な著作『動物の解放』（一九七五年）で、動物に対する倫理の必要性を主張する根拠として、「動物は苦痛を感じることができる」という点を挙げている。

科学的なものであれ哲学的なものであれ、動物が苦痛を感じることを否定する十分な理由は存在しない。もし私たちが他の人間が苦痛を感じることを疑わないならば、他の動物が苦痛を感じるということも疑うべきではない。

動物は苦痛を感じることができる。私たちがすでにみてきたように、動物が感じる苦痛（あるいはよろこび）は人間が感じる同じ量の苦痛（あるいはよろこび）と比べてより重要性がうすいという主張を、道徳的に正当化することはできないのである。[35]

功利主義に基づくこのシンガーの主張は、その後の動物倫理に関する議論に大きな影響を与えることになるが、ここで彼は、「苦痛を感じる」能力こそが、その対象を殺したり、その対象に対して暴力的な所業をおこなったりしてはならないという判断基準であると論じている。つまり、「苦痛を感じる」ことがない種に対しては、そのような倫理は適用されないことになる。

この主張を参照するならば、「泳ぐ男」で、語り手である「僕」が感情的に接近する男性たちに対しては「イタチ」と「鳩」という「苦痛を感じる」種——すなわちシンガーが倫理の適用対象とする哺乳類と鳥類——のイメージが当てはめられる一方で、彼にとっての感情移入の対象にならない女性に対しては、「苦痛を感じない」種である植物に属する果実のイメージが当てはめられているとみることができる。このことは「泳ぐ男」という作品を考えるうえで示唆的だといえる。つまり「僕」が、その対象の苦しみを共有できるか否か、ともに苦しむことができるか否かが、その対象に付与されるイメージを左右していると想定することができるのではないか。[36]いうまでもなく、この作品中で最も精神的・肉体的苦痛を感じたはずの人物は、性暴力を受けて殺された猪之口さんにほかならないのだが、「僕」の共苦の対象になるのは、むしろ彼女に対する加害者となった男性たちなのである。

このような、犠牲者としての女性に対する共苦の欠如は、「泳ぐ男」以前に発表された大江作品にもしばしばみられるものである。例えば『万延元年のフットボール』で、語り手である蜜三郎の弟・鷹四は、故郷の村の人々のリーダー的存在になっていたが、不可解な強姦殺人事件を起こしたのちに自死を遂げてしまう。その際、鷹四が性暴力を加え殺害したという女性は「肉体派の小娘」[37]と称されるだけで、名前さえ言及されることはない。鷹四の死には、村という共同体がそのシステムの存続のために要請する犠牲としての役割を果たしたという側面があり、それゆえ彼は犠牲者＝犠牲獣の系譜に属する登場人物だと考えられる。蜜三郎は鷹四の死を受けて、ひとり地下倉にもぐり込んで内省し、彼が抱えていた苦しみに思いを馳せるものの、最終的にはそれに対して目を閉ざしてしまうのだが、このことについては前掲の拙著で分析した。[38]蜜三郎にとって鷹四は確かに——彼に対するそのまなざしには偏りがあるとしても——その苦しみを分け持つべき犠牲者＝犠牲獣として認知されている。

しかしながら、鷹四が強姦し殺した女性は、事件後に蜜三郎の脳裏によぎることさえなく、共苦の対象になることもない。つまり「犠牲者ならざる犠牲者」として描出されているのである。また、『同時代ゲーム』に記される、「村＝国家＝小宇宙」の祭りに登場する「牛鬼」をめぐる挿話にも、このような「犠牲者ならざる犠牲者」が登場する。

しかし祭の日が近づくたびに、谷間と「在」の子供らは、次のような噂を交換しあっては、新しい恐怖の動機を準備したのである。ある年の牛鬼は、国民学校児童五名を踏み殺した。警察と憲兵隊が捜査を始めようとしたが、死んだ子供らを祭にささげられたものとする家族の請願で、事件は闇にほうむられた。またある年の牛鬼は、晴れ着をかばおうと、他の娘たちがしたように驀進してくる牛鬼を避けて畑に伏せることをしなかった娘らを、わざわざ撥ねとばしたうえで、牛鬼担ぎの壮漢たちみなが輪姦した。この事件もまた闇にほうむられたのは、たとえ罰しようとしても真の強姦者は牛鬼そのものにほかならなかったからだ。[39]

祭りの出し物としての「牛鬼」は、「村＝国家＝小宇宙」の創建にあたって犠牲となった先住民の恨みが具現化した、まさに「犠牲獣」の表象であり、その造形の背景にある様々な文脈については、前掲の拙著で詳述している。[40]「犠牲獣」としての「牛鬼」の恨みは、その出し物を担ぐ壮漢たちに憑依し、彼らが受けた苦しみを吐き出すかのように様々な悪事をなしたと語られるが、その悪事の犠牲になった子どもと女性たちは、やはり「犠牲者ならざる犠牲者」として作品の後景にわずかに描かれるだけなのだ。

大江作品において動物のイメージと結び付く犠牲者は、確かに登場人物にとっての共苦の対象である。村上克尚も前掲の著作のなかで、「奇妙な仕事」「飼育」『万延元年のフットボール』といった作品群を詳細に分析し、それらの作品には、声をもたず傷つきやすい動物＝《全き他者》[41]に登場人物が接近し寄り添う運動性が共通してみられることを指摘したうえで、そこに人間／動物という区分が解体されるようなモメントを見て取っている。しかしながら、その動物表象の背後には、共苦の対象になりえない「犠牲者ならざる犠牲者」が確かに存在していて、しかもそのような犠牲者は多くの場合女性だということも、見過ごすべきではないと思われる。

7　共苦する想像力、その限界と暴力性

「泳ぐ男」における猪之口さんが、共苦の対象になりえない「犠牲者ならざる犠牲者」として描出されたことは、語り手である「僕」の、あるいは小説作者である大江健三郎自身の想像力の偏りを示しているといえるだろうか。それを、男性作家の女性に対する無理解や、ジェンダーに基づく差別意識の反映だと糾弾することは容易である。しかしながら、猪之口さんという女性に感情的に接近できない中年男性作家「僕」の姿を、露悪的なまでに描き出す「泳ぐ男」は、他者理解の限界とその暴力性を鋭く抉り出す作品だったとも考えられるのではないか。

「僕」は、猪之口さんに対して共苦の可能性をもたないが、それでいて、成熟した女性としての猪之口さんの肉体や語り口に対して性的に引き付けられている様子が作中の随所にみられる。乾燥室のなかで、彼女を前にして勃起を経験したとき、「僕」は自身のそれとは全く異なる彼女の肉体――そのフォルムや質感が異なるだけではなく、男性との性交渉を通して胎内に子を宿す可能性をも有する女性の肉体――を強く意識している。つまり「僕」は、猪之口さんが女性であるゆえに、共苦可能性をもちえない存在として彼女を排除しているというよりも、自らとまるで異なる肉体をもつ存在を前に、なすすべなく圧倒されているようにもみえるのである。

ここで参照したいのは、大江が一九七八年に発表した「喚起力としての女性的なるもの」というエッセーである。

そこであらためてふりかえってみると、僕にとって女性が想像力にあたえてくるもっとも決定的なインパクトは、驚きであったように思われるのだ。幼・少年時の僕は、女性的なものとの様ざまな出会いにまったく驚いてばかりいたものだ。女性の美しさに驚いたし、醜さにも驚き、その無垢の優しさに驚いたし、いやしい残酷さにも驚いた。僕の青春はその続きだった。僕はやはり根本的には驚きをもって、女性的なものとの新しい出会いを自分にきざみつけた。もしかしたらそれがつづいているのみなのであるかもしれないのだ、現にこの中年の猶予期間《モラトリアム》においてすらも！(42)

大江は、女性という存在が彼にとって重要な批評主体であることにもふれたうえで、作家の重要な特質としての道化性を引き出してくれるという面で、「まことに女性たちは僕の教師である」(43)と、このエッセーをしめくくっている。しかしここで注目したいのは、大江が常に、「驚き」の対象であり、男性がもちえない「喚起力」を自らに対して発揮する存在として女性を捉え、賛美していることである。その賛美はもちろん、「女性的なるもの」を一般化して捉えている点で、単純化されたジェンダー理解に基づくもののようにもみえる。ただしそこには、女性と交流し観察するなかで、自らとは異質なその存在に「驚き」を感じるゆえに、彼女たちを軽率に理解しようとすることをあきらめる、あるいは自重する態度が反映されているようにも思われるのだ。このエッセー内では明言していないが、そのような女性による「喚起力」が、彼女たちが有する、男性とは異なる肉体に由来していることも確かだろう。(44)

この点をふまえれば、「泳ぐ男」という作品は、男性である「僕」が見せる女性に対する無理解を暴露するだけではなく、異なる肉体を抱えて生きる他者の苦しみを共有することの困難さとその限界をも示しているように思われる。実際この作品は、男性／女性間に横たわる断絶だけを描いているわけではない。作品の終盤に至ると、

「僕」がその苦しみに共感し、自らその罪をかぶる夢想までした相手である玉利君との間に、実は大きな断絶が存在したことが描かれてもいる。

例えば、「僕」が二人の男性への感情移入の先に導き出した推論を、本人を前にして語る場面をみてみよう。「僕」の想像では、事件当日、それまで猪之口さんに挑発され続けてきた玉利君は「なにか起ると予期しながら、それも自分が一枚嚙む人間として予期しながら」[45]、彼女をオートバイで追いかけた。けれども、彼が最終的に回れ右をしたことで運命が変わり、中年男が彼の代理としてその役回りを引き受けたのだろうと、「僕」は語る。すると、玉利君は次のように反応する。

玉利君は黙っていた。そのまましばらくして、玉利君が僕がそれからずっと記憶しつづけることになった言葉をひとりごとのように発した。さあ、おれの運命と無関係な中年男と話をするのはこれで終りだ。自分の問題は、自分で解決してゆくほかにない、と断念してしまったとでもいうように……

——どうしてそう、なにもかもわかっているようなことがいえるのかなあ？　ひとのことなのに……[46]

すべて平仮名で記され、そのため読者に強い印象を与える玉利君のこの言葉は、彼の苦しみを共有し寄り添おうとしていた「僕」の試みが失敗に終わったことを明確に示している。男性として、つまり似た肉体のつくりをもっている存在として、「わかっている」はずだった相手からの拒絶は、「僕」の記憶に鮮烈に残り続けることになった。その後、かつては「僕」にとって共苦する対象であったはずの玉利君との間に、決定的な亀裂が入ったことが明かされ、この作品は幕を閉じるのだ。

二メートルほどの水をへだてて見る玉利君は、競技会と同じ条件にするためかゴーグルをつけていなかった。

そこで僕は実際はなにひとつ映していないのであろう玉利君の、驚いている幼児のように――それも全身に発現した邪悪の意志をみずから制禦できぬまま驚いている幼児のように――見開かれたアンズの形の眼を見つめ、深く震撼されたのだ。(47)

「僕」は、新たな性犯罪に向かって突き進んでいくかのような暴力性に満ち、「邪悪の意志」を全身に発現した玉利君の姿に驚くが、とりわけ彼の「見開かれたアンズの形の眼」に震撼される。ここで注意したいのは、以前は「イタチ」という動物のイメージと結び付いていた玉利君の眼に、「アンズ」という果実のイメージが宿っていることだ――まるで、果実の表象をまとって描出されてきた猪之口さんの実存が、ここで彼に乗り移ったかのように。「アンズ」を、「僕」が女性に対して抱いていた共苦不可能性の象徴として捉えるならば、実は玉利君もまた、「僕」が共苦しえない存在だったことが、ここで示されているといえるだろう。

「僕」は玉利君を、猪之口さんの性的な挑発に屈して取り返しのつかない罪を犯し傷ついた人物、つまりある種の犠牲者と見なす物語を、彼に投影していた。それは、猪之口さんを強姦し殺害した犯人であることを引き受けた中年男に対しても同様である。「僕」は男を、玉利君の罪を肩代わりして汚辱のなかで死んだ――あるいは玉利君に対してそのような救済をなしえなかった僕の身代わりとして死んだ――犠牲者として把握していた。しかし、この作品の末尾には、彼らを犠牲者として理解し、その苦しみを共有しようとした「僕」の試み自体の挫折が鮮烈に提示されるのである。

「泳ぐ男」は、一見すると、共苦可能性をもつ動物としての男性と、共苦可能性をもたない果実としての女性を明確に区分する、男性中心主義的なテクストのように読めてしまう。しかしながらそこには、中年男性作家としての「僕」とは全く異なる肉体をもつ対象である女性に対する「わからなさ」が赤裸々に表現されているとともに、肉体的な差異が少ないぶん感情的同一化が容易な対象である男性に対する「わからなさ」もまた、確実に存在することが示されているのである。つまりこの作品では、それぞれの肉体と、そこに宿る意識をもって生きている個人の苦しみを、「犠牲」の物語を投影することによって共有しようとすることの限界と、そのような想像力がはらむ暴力性そのものが暴き出されている。現実世界での「大きい暴力の遍在」を前にしての、「僕」の想像力の挫折の背景にあったのは、まさにこのような他者理解をめぐる問題意識であり、そこには作家としての大江自身が作品世界に他者を描き出すときに抱えていた葛藤、つまり他者に対する作家としての倫理についての思索が、少なからず反映されていたと考えられるだろう。

すでにたびたび言及してきた拙著のなかでは、大江作品にごく初期から犠牲者＝犠牲獣の表象が描き出されてきた背景には、大江という作家の、彼らに対する「まなざしの倫理」があったことを指摘している(48)。それは、彼の似姿としての登場人物が、犠牲者＝犠牲獣の生と死のあり方を直接的にまなざすことで、彼らの苦しみを共有しそれを背負い続けるさまを作品世界内に描き出そうとする実践だったといえよう。しかし「泳ぐ男」に示されたのは、そのような実践の前提となる、共苦による他者との連帯が失敗する瞬間にほかならない。その点で、「泳ぐ男」という作品には、まさにこのような倫理の問い直しの契機が示されていたのだといえるのではないだろうか。

8　「わからなさ」の先の共同性

「泳ぐ男」以後、大江が発表した作品群について、本章で詳細に検討する紙幅はない。しかし彼は、これらの作品の執筆を通して、他者に対する――とりわけ女性に対する――「わからなさ」を前提にしながらも、その先にある何らかの共同性を見いだそうとする挑戦を続けていったようにみえる。

まず、一九九〇年代の作品では、大江自身の似姿としての男性作家は小説世界の前景から退く。そのかわりに、様々な生（性）の形を有した人々が、語り手あるいは作品の中心人物として選ばれることになるのである。例えば、近未来ＳＦ『治療塔』（岩波書店、一九九〇年）およびその続篇の『治療塔惑星』（岩波書店、一九九一年）ではリッチャン、そして連作小説集『静かな生活』（講談社、一九九〇年）ではマーちゃんという年若い女性が、それぞれ語り手として設定されている。また、九三年から九五年にかけて発表された長篇『燃えあがる緑の木』三部作（新潮社）では、両性具有者であるサッチャンの語りによって、男性から女性へと「転換」する際にその身体に生じる様々な変容が詳細に示されている点も注目すべきである。さらに、断筆宣言を翻して発表された九九年の『宙返り』（講談社）では、三人称による語りを通して、木津と育雄という同性間のパートナーシップに焦点を当て、作中には育雄との性交渉における木津の身体感覚を繊細に描き出してもいる。つまりこれらの作品では、大江の似姿としての登場人物が、他者に感情的に接近し共苦によって連帯していこうとする運動性はもはや示されることはなく、多様な肉体とそこに宿る意識をもった人々が、自らの感覚をそれぞれに表明することを通して、作品世界が構築されていくのである。

そして、二〇〇〇年以降、大江自身が「後期の仕事《レイト・ワーク》」と呼称する作品群で、このような試みは新たな展開を迎える。「後期の仕事《レイト・ワーク》」の中心人物としては大江の似姿である老作家が設定されるが、ポリフォニックな作品構造のなかにあって、その特権性はますます弱まっていく。さらに、過去作品においては、その似姿としての登場人物によって「犠牲」の物語のなかで解釈され、共苦すべき対象と見なされてきた死者たちが、その物語を自ら問い直すかのように作品世界の前景に姿を現し、対話に参入してくるのである。特定の語り手を中心に置くことで作り出される共苦による連帯から、その生死にかかわらず、様々な他者の声が統御されないままに響き合う共同性への移行。「後期の仕事《レイト・ワーク》」をそのようなプロセスとして捉えたとき、サクラさんという女性の生涯を主軸とした『﨟たしアナベル・リイ　総毛立ちつ身まかりつ』（新潮社、のちに『美しいアナベル・リイ』と改題）という作品が、〇七年に著されたことは必然だったように思われる。語り手の作家「僕」がつづるのは、国際女優であるサクラさんが、その主演映画の構想をきっかけに、幼いころに被った性暴力の記憶と向き合っていく過程である。「僕」は、傷ついたサクラさんに対し、共苦によって連帯しようとするようなそぶりは見せない。そうではなく、自分なりに彼女の声を——ときには明確な意味内容をもたないような、声にならない声も——聞き、それを記録していく伴走者として振る舞うのである。サクラさんは、「サクラ」という植物のイメージをまといながら、美しさと性的魅力にあふれ、知的であるとともに精神の不安定も抱えた人物として描かれている。この「僕」とサクラさんとの関係を、「泳ぐ男」で「僕」と猪之口さんが結びえなかった連帯の、ある種の「書き直し」と見なすことは可能だろう。

他者に対する根源的な「わからなさ」を自覚しながら、それでもなお、他者とどのような共同性を築くことができるのか。そして、そのような共同性を、どのように小説世界に描き出すことができるのか。大江の「後期の仕事《レイト・ワーク》」は、「泳ぐ男」で提起されたそのような問いに対しての、老年に至った作家自身による回答だったといえるのではないだろうか。

注

(1) 村上克尚『動物の声、他者の声——日本戦後文学の倫理』新曜社、二〇一七年。同書のほかには、「人間の羊」(一九五八年)で用いられるメタファーとしての《羊》の役割について、戦後占領期日本の支配構造と重ね合わせて論じた江口真規の著作がある。「人間の羊」では、外国兵から《羊》として扱われる、つまり尻をあらわにしゃがみ込むことを強要される日本人男性の姿を描いているが、江口は特に外国人相手の娼婦としての女性に「らしゃめん」という羊を語源とする呼称が当てはめられてきた前史をふまえ、この作品で「《羊》となった日本人男性は、男性性を剝奪され女性化され、被支配の対象として幾重にも暴力を被っている」と解釈している（江口真規『日本近現代文学における羊の表象――漱石から春樹まで』彩流社、二〇一八年、一四四ページ）。これは「人間の羊」という作品を理解するうえで示唆に富む解釈だが、複数の大江作品を縦断的に検討した場合、羊の表象は女性性のメタファー以外としても解釈できる可能性が浮かび上がってくることは指摘しておきたい。

（2）菊間晴子『犠牲の森で――大江健三郎の死生観』東京大学出版会、二〇二三年

（3）大江健三郎「空の怪物アグイー」「新潮」一九六四年一月新年特大号、新潮社、八六ページ

（4）大江健三郎「泳ぐ男――水のなかの「雨の木《レイン・ツリー》」」『「雨の木《レイン・ツリー》」を聴く女たち』新潮社、一九八二年、二一〇ページ

（5）同書二一二ページ

（6）大江健三郎「「雨の木《レイン・ツリー》」を聴く女たち」同書三七ページ

（7）大江健三郎「「雨の木《レイン・ツリー》」の首吊り男」同書一四一―一四二ページ

（8）前掲「泳ぐ男」二一三ページ

（9）吉本隆明『マス・イメージ論』福武書店、一九八四年、九二ページ

（10）同書九四ページ

（11）榎本正樹『大江健三郎の八〇年代』彩流社、一九九五年、八五ページ

（12）根岸靖子「『「雨の木《レイン・ツリー》」を聴く女たち』――メタファーの受胎とその死まで」、「國文學 解釈と教材の研究」一九九七年二月号、學燈社、九三ページ

（13）同論文九九ページ

（14）前掲「泳ぐ男」二五七ページ

（15）同書二一七ページ

（16）同書二一八ページ

（17）前掲『犠牲の森で』二〇四―二〇六ページ参照

（18）前掲「泳ぐ男」二五六ページ

(19)同書二五八ページ

(20)同書二五九ページ

(21)同書二八六ページ

(22)同書二一五ページ

(23)同書二四七ページ

(24)「ヨハネによる福音書」(第一章第三十二節)には、以下のように記されている。「そしてヨハネは証しした。「わたしは、〝霊〟が鳩のように天から降って、この方の上にとどまるのを見た」」(『ダイグロットバイブル――和英対照聖書(聖書新共同訳)』日本聖書教会、二〇一六年、二六七ページ)

(25)前掲「泳ぐ男」二三四ページ

(26)同書二四〇ページ

(27)同書二四一ページ

(28)猪之口さんが「果実に似ている」ことは、若桑みどりも指摘しているが、若桑はそこに「再生のための死」という果物のシンボリズムの反映を見ている(若桑みどり「家族系統樹《ファミリー・トリー》から宇宙木へ――もしくは象徴としての植物的世界」「國文學 解釈と教材の研究」一九八三年六月号、學燈社、七一ページ)。ここでは、「果物」と女性性の結び付きは検討されていない。

(29)前掲「泳ぐ男」二二二ページ

(30)同書二二三ページ

(31)同書二三二ページ

(32)同書二三六ページ

(33)同書二八〇ページ

(34)同書二三四ページ

(35)ピーター・シンガー『動物の解放 改訂版』戸田清訳、人文書院、二〇一一年、三七ページ

(36)「共苦」は、哲学者アルトゥール・ショーペンハウアーが、その対象への行為の道徳的価値を判断するための基点に位置づけたものであり、彼の倫理思想での重要な概念としても知られる。
(37)大江健三郎『万延元年のフットボール』講談社、一九六七年、三二二ページ
(38)前掲『犠牲の森で』一六五―一八一ページ参照
(39)大江健三郎『同時代ゲーム』新潮社、一九七九年、二〇二―二〇三ページ
(40)前掲『犠牲の森で』四五―五九ページ
(41)前掲『動物の声、他者の声』一五〇ページ
(42)大江健三郎「喚起力としての女性的なもの＝わが猶予期間《モラトリアム》5」『大江健三郎全作品(第Ⅱ期)4』新潮社、一九七八年、二一六ページ
(43)同書二一七ページ
(44)短篇集『いかに木を殺すか』(文藝春秋、一九八四年)や長篇『M／Tと森のフシギの物語』(岩波書店、一九八六年)に描き出される勇敢な女性たちの肖像は、やはり大江が見いだした「喚起力としての女性的なるもの」の一つの表れだろう。傷ついた魂を再生に導く母なる女性のモデルは、「樹木」――やはりそれが共苦可能性をもたない対象であることは重要である――のイメージと結び付き、一九八〇年代後半以降の大江作品にたびたび描き出されるようになる。前掲の拙著では、大江作品で特権的な役割を果たす「総体」としての樹木表象の系譜を分析するとともに、その表象と重なり合う形で女性性の神秘的な側面が強調された背景として、富岡多恵子や津島佑子ら女性作家からの批判や、当時の「精神世界」言説からの影響があった可能性を指摘した(前掲『犠牲の森で』三二〇―三二七ページ参照)。
(45)前掲「泳ぐ男」二七〇ページ
(46)同書二七〇―二七一ページ
(47)同書二八七ページ
(48)前掲『犠牲の森で』一九一―一九二ページ

第2章　多和田葉子の動物演劇の試み

――『夜ヒカル鶴の仮面』から『動物たちのバベル』へ

小松原由理

はじめに

多和田葉子の創作のなかでも、動物表象という文脈で特に注目すべき作品は『雪の練習生』（新潮社、二〇一一年。ドイツ語版は *Etüden im Schnee* で二〇一四年刊行）である。母熊に育児放棄されたあと、ベルリン動物園の飼育係に育てられた実在のアイドル熊をモデルとしたと思われる三世代の北極熊の話だ。終始熊目線で語られるこの物語に映し出されているのは、動物への振る舞いを通して浮かび上がる人間社会の滑稽さである。多和田がこの動物小説によって、異なる文化間をまたぐ越境作家としてだけでなく、昨今注目されるエコクリティシズムに接続する、ポストヒューマニズムの作家として一気に注目を浴びたことは記憶に新しい。さらに昨今は東日本大震災をその創作のテーマとし、いわゆる震災後文学ないしディストピア文学の担い手としても注目を浴びている。日本社会の驕りや偏りとともに、新たな社会のあり方や生の価値をめぐる問題を突き付けた作品『献灯使』（講談社、二〇一四年)、また、失われた母国語を探して漂流する冒険譚三部作『地球にちりばめられて』(講談社、二〇一八年)、『星に仄めかされて』(講談社、二〇二〇年)、『太陽諸島』(講談社、二〇二二年)など、そのナラティブは、人間社会と地球の共存可能性を志向するうえで重要な参照枠を発信しつづけている。

しかし、二〇一〇年代以降に顕著になる多和田のエコクリティシズム的傾向を帯びたこうした作品群をめぐっては、その動物表象はもっぱら人間社会への警句と単純化して受け止められているきらいもある。実は多和田の動物表象の歴史は長く、その当初からの特徴として挙げられるのは、動物対人間という構図ではなく、動物と人間が常に「混じり合う存在」として描かれている点にあった。特に一九九〇年代から二〇〇〇年代初めにかけての初期作品では、動物は人間社会と距離を取って外部から眺めるような存在ではなく、むしろ人間と一体化しながら、生の主体としての人間存在を部分化した存在として、存在そのものの複数性を担保する役割を果たしていたといえる。そこで本章では、多和田作品の動物表象の展開を具体的に論じるために、多和田が一九九三年に書き下ろした戯曲『夜ヒカル鶴の仮面』と、二〇一四年の単行本『献灯使』に収録された戯曲『動物たちのバベル』(ドイツ語版は *Mammalia in Babel* で二〇一三年刊行)の比較研究を試みたい。[1] 両作品はこれまで関連づけて語られることがあまりなかった。前者は最初期の戯曲であり、後者は多和田のほかにも多くの作家たちが描くようになった、二〇一〇年代に相次いで出版された、仮想の災害の後に動物たちが人間の言葉を話す作品の一つである。これは、現在のところ公刊されている最新の戯曲であるという点で、『夜ヒカル鶴の仮面』との比較を通してとりわけ動物表象に着目した作品展開の時系列的な変遷をたどりやすい。なお両作品は一見するとかけ離れたテーマをもつ作品のようにみえるが、ともに「死後の世界の語り」という共通構造を有していることも注目すべき点として挙げられるだろう。『夜ヒカル鶴の仮面』は姉のお通夜をめぐって妹、弟、隣人、通訳の間で交わされる会話劇であり、『動物たちのバベル』は人間たちの絶滅後、動物たちがいまは亡き人間たちについて語り合う会話劇である。

1　両テクストにおける動物の役割

両戯曲の概要

まずは、両作品の成立の概要とあらすじ、その動物表象の実践について確認しておきたい。『夜ヒカル鶴の仮面』はもともと一九九三年のグラーツ（オーストリア）の演劇祭「シュタイエルマルクの秋」のために執筆された作品である。(2)ト書きで明示される登場人物に動物はいないが、「壁には、鶴、犬、狐、猫、猿、狼、魚の七つの仮面がかかっている(3)」とあるように、舞台上には仮面の形で動物が参加していることが明示されている。四つの棺桶から順次起き上がった妹、弟、隣人、通訳は、それぞれに明日おこなわれるであろう葬式の前のお通夜の儀式に参加している。姉の身体を水で洗う妹と、様々な生物との異類婚体験を物語りながら、姉が妹に殺されてしまうことを予感して家へと帰還した弟、姉と妹の家の隣に住み、常に監視していたであろう鼻が利く隣人、そして姉の言語とは異なる言語、すなわち外国語でお葬式を執り行うためにやってきた通訳という、四者の会話はただ上滑りするだけで、観客がいかに集中して理解しようとしても一つの筋を示すことはない。四者の声は意識的に四様の多様性を保持していて、そのことはこの戯曲を当初からポリフォニー演劇として成立させようとしていた多和田の意図に基づくものと思われる。(4)

一方の『動物たちのバベル』は、もともとイスラエルの演出家モニ・ヨセフの提唱で始動した国際バベル・プロジェクトのもと、『旧約聖書』のバベルの塔の話を下敷きにして執筆された戯曲である。(5)『夜ヒカル鶴の仮面』とは異なり、全三幕とわかりやすい構成で、登場人物（登場動物とするべきか）として名を連ねているのはイヌ、ネコ、リス、キツネ、ウサギ、クマとすべて動物である。第一幕では、動物たちは、絶滅した人間たちとの思い出をそれぞれの角度から話題にする。人間との接点に応じてその語りの距離も様々だが、ひとまず人間がいたほうがよかったかどうかについては、明快な答えには至らない。第二幕では、第一幕で顔を合わせたこともすっかり忘れて、また同じ動物たちが、政府が募集している要塞建設「バベル・プロジェクト」に参加するために集まっている。だが政府は「店じまい」をしてしまい、動物たちは途方に暮れながらもそのプロジェクトがどのような内容かをめぐってあくまで「動物的」に意見を闘わせる。第三幕では、動物たちは大洪水が起きたときのためにみんなの住処《すみか》を何とか自分たちの手で建設しようと考える。そのために必要なリーダーを、大統領でも代表でも指揮者でもプロジェクト・ディレクターでもなく、「みんなの考えを集め、その際生まれる不調和を一つの曲に作曲し、注釈をつけ、赤い糸を探し、共通する願いに名前を与える翻訳者」(6)として決めようと、くじ引きで選ぶことにする。選ばれたリスは、それぞれの動物がイメージする要塞の形を言葉にして調整するうち、彼らが怖いと思っていた亡霊のなかに、生き残った人間の姿を発見する。

『夜ヒカル鶴の仮面』における人間／動物

両作品の概要を確認したところで、それぞれの作品で人間／動物の境界がどのような「重なり」を見せているのかについて詳細にみておきたい。まず、『夜ヒカル鶴の仮面』で、人間と動物の境界侵犯が最初に現れるのは、弟の身の上話の「語りのなか」である。

弟：女房には、鍋を室内用便器として用いる習慣があった。（略）ある冬の夜のことだった。目が覚めると、女房が隣にいないことに気がついた。台所で水の音がしたんで、（妹に鍋を渡す）入ってみると女房がいた。女房は鍋の上にしゃがみこんで、それで……

通訳：人間の姿をしていなかったわけですね。

弟：貝だった。(7)

弟はいわゆる異類婚姻譚の実践者である。彼が語るところでは、彼の妻としてはこの「蛤女房」のほかにも、「甲羅のないあなた」と彼に声をかけ、海のなかでの幸せな生活を与えてくれた「亀女房」もいた。戯曲の冒頭では、こうした異類との交流はもっぱら彼の口から語られていたが、戯曲の中盤になると、隣人もまた異類との関係を語り始める。それは、「鶴女房」ならぬ「鶴男」の物語である。

隣人：昔、あるところに鶴が住んでいました。鶴は羽に傷を負って、大きな公園の池の辺に横たわっていました。そこをちょうど通りかかった郵便配達の女性が鶴を見つけて家に連れて帰って看病しました。傷が治ると女は鶴を公園に放してやりました。ある日、女が公園でひとり新聞を読んでいると、美しい男がひとり現れて言いました。

隣人が鶴の仮面をかぶる。

隣人―鶴：すみませんが。
通訳―女：は？
隣人―鶴：すみませんが、お茶でもごいっしょにいかがですか。(8)

ここで初めて仮面が登場するのだが、この仮面を通して隣人は「鶴男」へと変身する。さらに劇が進むと、この鶴仮面は姉の存在と重なるようになり、独自の存在と化し、隣人が鶴仮面にだけ声をかける場面も登場する。

隣人（鶴の仮面に向かって）：鶴の飼い主になるより鶴になりたい、ということですな。そうでしょう？(9)

これは、仮面そのものが姉の人格を獲得していることを示しているだけでなく、飼い主とペットの主従関係を超えることができない動物と人間の関係性自体を問題視しているようにも読めるだろう。

さらに劇の終盤に弟が語る異類婚姻譚には、「鶴男」と同じく、ジェンダーが逆転し、「鹿女房」ならぬ「鹿男」が登場する。

弟：昔むかしあるところに「ぼく」という名前の狩人が住んでいました。（略）

ある日、狩人は鹿を射止めようと森にでかけました。森の入口まで来ると卵を産んでいる男に出会いました。

隣人：撃て！　名前のない者たちが生まれる前に。さあ、早く。当たっても当たらなくてもかまわない。ひとりっきりでいると、必ず敵が現れるものだ。鹿だとか。妊娠した男だとか。とにかく撃ってしまえ。

弟：その男の卵は太陽の光を浴びてキランキランと光ってた。(10)

この卵は、通訳が見かけて拾ってくるが、弟の卵ではなく、何の卵だったかはわからない。ともあれ、この「卵」が人間と動物のハイブリッドな交配の結晶として生まれるや、同時に姉の死体は自らを棺桶に入れて消え去り、お通夜は終了になる。妹が最後に説明するところによれば、家の窓は開かずこの舞台は外から釘付けになっている。つまり、すべては閉ざされた空間のなかで生起したことだったのだ。あるいは最初から四者は釘打ちされた棺桶のなかにいたのかもしれない。それにもかかわらず、行き交った言葉たちだけは、どこまでも自由に人間と動物の境界線を跳び越え、だからこそ「キランキランと光る卵」を産み落とすことに成功したとも、解釈できるのである。

『動物たちのバベル』における動物／人間

『夜ヒカル鶴の仮面』では、動物が徐々に人間存在を侵食し、重なり、そして最終的には「キランキランの卵」という動物と人間の越境へとつながっていくが、それに対して『動物たちのバベル』では、動物たちと人間たちは明らかにそれぞれ独立した存在として描かれていて、その存在の「重なり」をテクストのなかだけに見いだすのは難しい。しかし、動物しか登場しないこの戯曲では、むしろ動物たちの語りのなかに人間という異類の姿が浮かび上がってくる。それらを動物のナラティブにおける人間表象というまなざしで眺めれば、『夜ヒカル鶴の仮面』の弟の語りのなかの異類たちのように、彼らの会話のなかに人間との接触や境界侵犯を読み取ることができるといえる。特に注目すべきは、劇が進むごとに、単なるテーマとして登場していた人間存在が徐々に動物存在を侵犯していく点で、動物たちもまたそれに応じて人間度を増す仕掛けになっているのである。

例えば第一幕では、人間たちとの距離が近い犬と猫の会話が次のように展開する。

イヌ：でも人間が集まっている居間のソファーで寝るのが好きだったでしょう?
ネコ：確かに。人間たちのおしゃべりに耳を傾けていると教養が身につくからね。人間は自分の行ったことのない場所のこともよく知っていた。[11]

こうして人間とのほのぼのとした思い出を懐かしむように語った直後に、猫は続けて「昔のドイツの養鶏場」[12]の話を持ち出す。そこでは鳥たちが何百羽も狭いところに詰め込まれ、特殊な強い光を当てられて眠ることもできずに毎日一回必ず卵を産まされる。衛生環境がひどいその鳥小屋では少しでも病気になると鳥はつかみ出され、鶏肉として加工されるためにトラックで食品加工工場に送られるという。それを聞いたリスは、そのあまりにグロテスクな工場の様子に嘔吐し、続いてウサギもまた気持ち悪さに吐いてしまうという展開だ。
動物たちにとって世にも恐ろしいその光景は、人間社会では養鶏場の日常にすぎない。これは人間たちが動物におこなっていることがいかに倫理から逸脱しているかということをあらためて問いただす重要な場面であり、またこの養鶏場を示すワード「昔のドイツの養鶏場」は、ナチズムの強制収容所での非人道的な状況をイメージさせていると読んでいいだろう。かつて人間に対して人間がおこなったこの「蛮行」は、動物に対してならば何の倫理的問題にもならないという人間の倫理のグロテスクさを、動物たちがあらためて浮き彫りしている重要な場面である。ほかにも、人類の滅亡に結び付いた大洪水の原因をつくったのは、人間たちが「川にコルセットをきせて細く絞ったり、川にコンクリートを縫って化粧をほどこしたり、川の鼻っ面を引っ張って流れを変えさせたりしていた[13]」せいだと、熊が糾弾している。谷口幸代が指摘するように、ここには自然を自分勝手に矯正し、平気で環境破壊を繰り返してきた人類の倫理の欠陥に対する明確な批判が込められている[14]。
ただし、人間たちが絶滅したのはその驕りのせいなのかについては、動物たちはそれぞれの動物らしい解釈を展開する。人間が溺れた理由は頭が変なところについている設計ミスにあると主張するリスに続けて、熊もキツネも同様にその動物と比した人間の身体的劣位を口にする。

クマ：設計ミスではなく、病気かもしれない。体毛が全部ほとんど抜けてしまっていたのは、生命を奪うような光線に当たったせいらしい。
キツネ：口が平面的な顔についているから、うまく噛みつけないし。
リス：人間は目が顔の側面についていないから、視界が狭かった[15]。

このように第一幕では動物たちの目からみた異類としての人間の特徴が、予想もしなかったような側面から語られる。それと同時に、犬や雌猫といった人間に近い動物だけではなく、例えばキツネが買い物依存で不眠症、さらにはうつ病にかかったことなどを告白するなど、動物たちに人間の特性が徐々に重ね合わされていく。第二幕でバベル・プロジェクトのために集まってきたこれらの動物たちは、第一幕での会話を忘れていることになっているものの、そもそもイデオロギーの要塞を作るなどというあまりにも人間的な発想のこのプロジェクトに集まってしまった時点で、すでに人間になってしまっているといっていいだろう。第二幕の以下の場面で語られているのはまさに、人間を異類だとも言い切れなくなってしまった動物たちの揺らぎといえる。

クマ：耳の形はまちまち、身体の大きさもまちまち、それでも、とにかく人間でないことだけは確かです。人間になろうとしたこともないし、これからなるつもりもない。それがわたしたちの共通点じゃないですか。
イヌ：それにしては、どこから見ても人間の姿、していませんか。わたしたちは人間とは違う社会をつくるつもりで出発したのに、いつの間にか人間の足跡に落ち込んでしまったような気がする。[16]

このあとそれぞれの自己紹介が始まると、熊は床屋、ウサギは親の財産を音楽で食いつぶしているミュージシャン、犬は語学教師、キツネは猫と同様、かつてパワハラぎみのブラック企業に勤めていた元会社員で、いまは不眠症に悩んでいることが明かされていく。つまり、彼らは現代社会に生きる人間たちとほぼ同じ属性と性向をもっているのである。そして、第三幕では、人間的判断ではなく動物的倫理で選んだバベル・プロジェクトの新たなリーダーである「通訳者」のリスとともに、動物たちの理想の住処とは何かを模索するのだが、亡霊としてみえていたにすぎない人間の本当の姿を客席に発見してしまう。なぜ滅びたのかを人間の声から聞き出すことで、動物たちは自らの意志で異類である人間の失敗から学ぼうとし、その向こうに「理想のバベル・プロジェクト」の未来があることを予感させるラストになっている。

特にこのラストシーンでは、『夜ヒカル鶴の仮面』の「キランキランの卵」と共通するものとして、最後に舞台に落ちてくる、「夏のにわか雨のようにたくさんの辞書」[17]に注目したい。「キランキランの卵」も「たくさんの辞書」も、人間と動物が交ざり合い、ともに互いの存在の規定を超えて新たに遭遇したときに手にすることができる希望を象徴していると読むことができるだろう。それこそが姉の死の先で、あるいは大洪水で消えた「人間たちの後」の世界で、生き永らえていく死後の生の存在である。そして注目するべきは、それらが卵というわかりやすい「新しい生」のメタファーであるだけでなく、「辞書」という、人間や動物といった生物からかけ離れた存在である言葉、文字に見いだされている点である。実は『夜ヒカル鶴の仮面』の「卵」も「名前のない者たち」の言い換えであることをふまえれば、同様の文脈が意図されていることに気づく。つまり、卵とは、名前がない者たちに名前を与えるものと捉えれば、まさに「辞書」そのものと同じ役割を果たしているわけだ。そのことは、この二つの動物演劇に登場する動物たちと人間たちの怪しげな重なりが、実は単なる会話のなかでの表現にとどまらず、テクスト全体の構造、さらには言葉自体の問題と連動していることをもまた、示唆しているのである。

2 言葉遊びから始まる——人間と動物の「重なり」

『夜ヒカル鶴の仮面』の外された枠

『夜ヒカル鶴の仮面』で、最初に人間と動物の境界侵犯を語りのなかで実践するのは弟だが、これはやがて隣人、そして通訳へと伝播していく。この異類との遭遇譚は、実はよく知られた昔話や童話を原型としながらも、それにアレンジを加えて創作された「お話」になっていることも注目すべき点である。弟が最初に語る異類婚姻譚は明らかに「蛤女房」あるいは「蛤嫁」を思わせる。『平凡社大百科事典』によれば、この弟が語っているお話の出だしは、戸をたたいて押しかけてくる女が蛤に変身するタイプの話型である〈料理をする女房〉型であり、長野県以西を中心に伝承されている。ほかにも、男が海で釣りをしていると蛤がかかり、なかから姫が現れ、その蛤姫は機織りが上手で美しい布を織り上げ、男はそれを高い値で売って富を得るという話型である〈機織〉型もあり、青森県、山形県、島根県で採取されている。(18) つまり、もともとの「蛤女房」の話にも複数の話型が存在するのだが、弟はこの一つ目の話型を語りのテクストに用いながらも、小便でダシを取っていたことに怒って追い出すという当初の話型を取らずに、自分が食していたものが自然の恵みでできていることが急にわかったと述べたあと、異なる結末に至るのである。

弟：女房の中身が外見とは別のものであることが分かった。分かって、嫌になったのではなく、ただ驚いた。(19)

続く「亀女房」では、その変形はますます顕著になってくる。「亀女房」は、蛤女房と同じく、漁師の男が亀を釣り上げてしまい、海に帰してあげると、その翌日女の姿で小舟に乗って現れるというお話である。誘われるまま竜宮城へと向かい夫婦生活を送るも、三年の月日が過ぎ、男は故郷に戻ることにする。別れに際して形見にもらった玉手箱を、開けてはいけないと言われていたにもかかわらず開けてしまい、老人になってしまうというパターンが、おそらくは最も古く広く伝わる話型だろう。(20) とはいえ、「亀女房」には、『古事記』の「海幸彦《うみさちひこ》と山幸彦《やまさちひこ》」の話や、日本神話「浦嶋子伝説《うらのしまこ》」がミックスされている。さらにその後、御伽草紙の「浦島太郎」物語などによって、様々な話の展開と結論をもつ多元的な昔話として知られている。

弟の語りの出だしは、原型になる「亀女房」の出だしとかなり近い。小舟で寝ていると、どこからか「しわがれた女性の声が水のなかから聞こえてきた。ちょっと、あなた、甲羅のないあなた、起きなさいよ(21)」と声がして、弟がのぞき込むと亀がいたというのが始まりである。ただしこの出だしで亀は女に変身することなく、亀のままの姿で弟に遭遇している点、弟が亀を助けたという設定ではない点などから、すでに原型とは異なる異類接触をしていることがわかる。さらに、弟が亀と体験する海のなかの暮らしは弟にとってはとても幸せなもので、「初めのうちはこのままこうしてはいけないとも思った。でもそのうち、なぜこのままではいけないのかがわからなくなった(22)」といい、亀と弟は結婚する。弟にとっては「家に帰らなければいけない理由はひとつもなくな(23)」ったほど、その結婚生活は幸せなものだった。

ところが、亀にとっては人間との異類婚は厳しいものだった。このように亀と弟の物語はこれまでの話型とは別の展開を示していく。

弟：どうぞ。僕は分かっていて結婚したんだ。でも亀の方は僕みたいなのを連れてきたというんで、仲間の非難を浴びていた。僕には甲羅がないし、臍があるから(24)。

さらに、海中の部屋の整理整頓もうまくできないという欠陥を抱える弟は、亀とは異なる異類である人間の能力のなさを恥じる。よく知られた昔話の話型を借用しながらも、全く異なる展開や着地を加えてアレンジするこの手法は、多和田の特徴といえる。このことはすでに袁嘉孜が主に多和田のデビュー小説『Das Bad／うろこもち』（一九八九年）を例に詳細に分析している(25)ように、この戯曲に限らず、多和田の創作の最初期からみられた基本的な制作手法でもある。この手法は、あらゆる話型を組み替えたり、異なる筋を増やしたり減らしたりとアレンジして拡大と増殖をおこなうことで、原型としてきた物語の固定化に疑問を突き付け、ダムのように特定の物語を取り囲み概念化に与してしまっている単一化された「お話」の堤防を、一気に決壊させる威力をもつ。それは、一つの典型的物語を、もう一つの対抗的物語で転覆させる物語の上書きや書き換えとはまた異なる次元の破壊力をもつ。

このことに連動して、さらに注目したいのは、『夜ヒカル鶴の仮面』では、まさに単一の語りから物語を解放するための、語りの枠の取り外しの必要性が同時に語られていることである。まるで劇中劇のように、物語のなかに組み込まれた物語論は、語りの文レベルでの構造自体に、他者の介入の余地を生み出すことを念頭に置いていたことが示されている。

弟：嵐の夜だった。僕はコンピューターの前に座って、物語の推敲をしていた。本当は最後の文章を削ろうとしていたんだが、そうすると物語全体が、旅行記になってしまうことに気付いた。それがどうしても嫌だった。その時、戸をたたく音がした。外には女が一人立っていて、僕と話したいという。（略）
通訳：しかし、最後の文章が正しくないと、読者に誤解される恐れがあります。あなたはそうすると、物語の主人公として誤解されるわけです。[26]

こうして、語りの最後の部分を他者に引き渡すこと、つまりドイツ語の文法構造でもある枠構造を外すことで、この会話劇で展開するあらゆる「お話」は、誰の「お話」でもなく、枠がなくなり解放され、主体の位置は常に入れ替わる。そして、この枠構造の取り外しは、ミクロレベルでは昔話の創作的語りの可能性を意図しているが、さらにマクロレベルでは『夜ヒカル鶴の仮面』の主題そのものである、人間というコンセプトの枠組みの解体を意図しているように思われる。そう考えると、この戯曲のラストシーンの妹の台詞「その窓はもう開けられない。ドアも外側から釘付けになっている[27]」は、この会話劇が窓の開け放たれた家のような語りの構造と鮮やかなコントラストをなすようにもくろまれていると解釈できるのである。棺桶を釘で打ち付けて閉じ込めることが通常の死であり、物語の固定化であるとすれば、『夜ヒカル鶴の仮面』は、この棺桶をただの通り抜け可能な「門」あるいは窓枠だけの空間として見せるのである。

『動物たちのバベル』の未完の言語塔

『動物たちのバベル』で、閉じられることがない棺桶と同義にあたるのは、おそらくバベル・プロジェクトで完成がもくろまれながらも、うやむやになり完成をみることがない「バベルの塔」だろう。バベルの塔とは、『旧約聖書』の「創世記」第十一章に現れる巨大な塔である。天にも届く塔を建てようとした人間たちの高慢に怒った神が、言語を混乱させ互いに言葉が通じないようにすることで、人々を各地に散らして塔の完成を妨げたという話である。互いに話している言語がわからないから塔は完成しないことを「バベル」(イディッシュ語で混乱の意味)というところからこの塔の名前はきているのだが、『動物たちのバベル』で当初想定されていたのは政府による安心安全な要塞としての「バベルの塔」である。だが、それはパンフレットに書かれた文字情報以上の計画性はなく、動物たちはそれぞれ好き勝手にその要塞の姿をイメージすることになる。

クマ:バベルの塔もどこかにある木の真似をして考え出されたものに過ぎないかもしれない。その木を捜してみたくなった。

リス:高い木の上が安全だと思う。

ウサギ:高い木から落ちて、クビの骨を折るなんて、ビデオ撮っておいて保険会社のコマーシャルに使ってもらえば? 地面に穴を掘ってそこで寝るのが一番安全。冬は暖かくて夏は涼しい地下室が本当のバベルの塔。地球の中心に向かって逆立ちしてる。高さではなくて深さが大切。(28)

動物たちが想像する安全な要塞とは、高い垂直の塔とは全く異なる形姿であることが、このように次々に確認されていく。人間によるバベルの塔の話型――異なる言語を話す者同士で何とか高く積み上げようとして混乱する物語――を動物たちのバベルの物語はあっけなく刷新する。ここに示されるのは、それぞれがあちらこちらで自らのバベルを建設することで新たなバベルの塔を拡大するという、「動物たちのバベル」の新たな可能性である。そしてまた、動物たちによるこの新たなバベルの可能性は、言葉の奏でる音やリズム、さらには誤解や言い間違えと連動して提示されていることも興味深い。例えば、第二幕でウサギは「バベル、ばばベル、ばばばべる、ばばばばベル、ばばばばべる（どこまでも「ば」を増やしていく）…」[29]という歌で「音楽的」に賛成意見を述べるが、これはバベルが「ば」そして「ベル」の連続音とともにリズミカルに増殖するさまへと置き換えられていく。話題の転換でも、やはりウサギが突然割って入り「タマネギ、好きですか」と尋ねることで、動物たちはタマネギを食する宗教の話、タマネギを半透明になるまで炒める人間たちのおかしな調理文化の話、さらにとうとう重なるその層の形状が終わりのないうるさいものの例えになり、劇場のメタファーのようだという話の流れを生み出していく。この展開をもたらした「タマネギ」はドイツ語ではZwiebelだが、実際ウサギが話の途中で「実はさっき「バベル」と言うつもりで、言い間違えて「タマネギ」と言ってしまった」と告白しているように、Babel（ドイツ語ではバーベル）とZwiebel（ドイツ語ではツヴィーベル）は音の連関としてとても近いのでドイツ語であれば言い間違えは想像できる（ただし、日本語で話すウサギは、「全然似ていないのに」とつぶやく）。

『夜ヒカル鶴の仮面』でも、実はこうした話の流れの転換や変転のきっかけが言葉になる場面が多々存在する。弟が亀（カメ）との生活を語る会話の流れのなかで、隣人はその生活を「カメラ」で撮影するべきだったと主張する。水中ではカメラは使えないので、美しい亀との暮らしは自分の頭のなかにしかないと返答する弟と正反対に「私は年を取る前に写真に撮ってもらいたい」とつぶやく。そこに、ごく自然に登場するのが仮面（カメン）である。

弟：亀になることはできない。亀の仮面をかぶることはできる。仮面がなくても、亀の役を演じることはできる。でも、亀になることはできない。逆に、亀が人間になることは可能だ。その気さえあれば。そう、その気さえあれば。(30)

カメ――カメラ――カメン、という音の流れが日本語で読むとかなりわかりやすく浮かび上がる。一方で、ドイツ語だからこそみえてくる音響上の流れもいくつか存在する。例えば、「亀女房」の話のあとに、隣人が導入する「鶴女房」に続き、再度弟が「鶴女房」を語りだす場面がある――「昔むかし、あるところに「わたし」という名前の鶴が住んでいました」。ここでは、隣人の語りからまた変化して、鶴は「わたし」という名前に代わっているのだが、実は鶴はドイツ語でKranich（クラーニッヒ）(31)であり、私を意味するドイツ語のich（イッヒ）がその言葉のなかに、視覚的にもまた音響的にもしっかりと生息していることに、このやりとりで気づかされるのである。

多和田の作品には、このように言葉の表面上の親縁性や連関性がまた別のイメージに連鎖し、思わぬ展開が、まさに質量をもつ「言葉」自体によって導かれるという局面が数多くみられる。『夜ヒカル鶴の仮面』でも『動物たちのバベル』でも、このような言葉の次元による意外な連関性は至るところにちりばめられていて、実は姉なり妹なり弟なりの身体が存在してそこに言葉が発せられて意味をもつのではなく、言葉が先に存在して、そこに人間や動物やモノが仮の形をとって身体性をもつことで、関係性や意味を生み出していくというシステムが適用されている。このことは、『夜ヒカル鶴の仮面』が姉の死のあとの世界、『動物たちのバベル』が人間たちの消滅したあとの世界という、いずれも「死後の世界」の「その後の生」を舞台にしていることと密接に関係している。つまり、オリジナルの言語から離れたところで増殖し展開していくのが翻訳言語であり、多和田文学とはまさに増殖し展開していくこのような翻訳言語によって貫かれた文学であり、戯曲もまた同じ原則に貫かれているのである。

3 「穴アキ演劇《アナーキー》」として？――動物演劇のアンガージュマン

ここまで、多和田の動物演劇を代表する二つの戯曲の特性を、人間と動物との境界侵犯を可能にする構造上の仕掛けに注目して分析してきた。この仕掛けは語りによってその語り自体の枠組みを取り外し、あらゆる語りを可能にするようにつくられている。その結果、主体の位置は常に次へと開かれ、物語は終わることなく、どんどんと継ぎ足されていく。さらに物語は、あくまで言葉に導かれて展開していくからこそ、思いもしなかった場所へと向かっていく。それは、動物たちと人間たちが対等に接触し、融合し、新たな造形を手に入れる、実に豊かな未来形の「言葉遊び」と捉えることができるだろう。

最後に二点、この「言葉遊び」が単なる遊びにとどまることがないアンガージュマンをもつことは、以下の二点で指摘できる。一つは、両作品のジェンダー表象が示す穏やかながら強度が強い既成のジェンダー像を転覆する力である。従来の物語では女が動物に変身することで、万物の主である人間の象徴の位置に男たちが配置されていたが、『夜ヒカル鶴の仮面』の「鶴男」や卵を産む「鹿男」にみられるように、多和田の作品ではこの男女の立場が転換している。同時に、「卵を産む」という哺乳類を逸脱した生殖能力を付与することによって、ジェンダーだけでなく、人間の性自体が攪乱されている。この転換はしかしあくまで言葉上の操作によってなされるというのが、多和田の動物演劇のジェンダー表象の核心なのである。『夜ヒカル鶴の仮面』の通訳が述べているように、性転換は手術台もなく、医者もなく、メスも使わず、「葬式の最中に」起こることもある。[32] 例えば郵便配達の女（die Postbotin、女性名詞）は、鶴（der Kranich、男性名詞）になることで、言葉上の性転換を成し遂げているのである。翻訳という運動のなかで繰り返し起きるこの性転換の感覚が、多和田のジェンダー表象のラディカルさに結び付いていることは、ここで再度強調しておきたい。

二つ目は、多和田の作品では動物たちは人間たちを縛り付けるジェンダーを解放してくれる存在として描かれている点である。昔話の異類婚姻譚は動物に人間のジェンダー秩序を当てはめたものだが、『夜ヒカル鶴の仮面』ではそれは逆転され、さらに『動物たちのバベル』になると動物たちは、「性はあるもののジェンダーはない存在」として人間ののちの世界を構成するようになる。これは一つの希望を表しているように思われる。それこそが、動物たちのバベルが人間たちのバベルに教えてくれる動物的な教訓だからである。

最後に、この両戯曲を通してみえてくる多和田の演劇の特性についてまとめておきたい。言葉の音響上の特性、すなわち声という要素がきわめて重要な位置を占めることは明らかである。言葉遊びのような音の関連性が物語自体の構造に関わっていること、つまり言葉が独立して立ち上がり、演者の身体はそれらを受け入れ、再度新たに送り出す「器」、あるいは「門」として機能していることが、多和田の演劇作品の特徴である。演者はそれらの言葉をキャッチして次の展開へと送り出すメディウムになることが要請される。そのような演劇は、二十世紀初頭に実践されたアヴァンギャルド演劇のいくつかの取り組み、なかでも特にダダの上演でみられた言葉と音と身体のシンプルな出合いによって、「新たな言葉」の創造をめざした演劇を継承していることを指摘しておきたい。ダダの演劇が、第一次世界大戦という人間同士の破壊のなかから生まれた異議申し立てのパフォーマンスだったように、多和田の動物演劇もまた、人間社会の驕りに「穴アキ」させることをもくろんだ、きわめてアナーキーな演劇だったといえる。[33] 人間という言葉には無数に穴が開いているが、その穴を動物という都合のいいシンボルによって塞ぐのではなく、むしろその開いた穴から未来を見通せるように差し向けるのが、多和田の演劇なのである。その意味で、彼女の演劇はまちがいなく前衛演劇の伝統を引き継いでいるのである。

着ていた人間の服が長い時間の経過によっていい感じに破れ、ところどころ穴の開いたところから身体に毛が生えているのが見え、みんな人間と動物の中間くらいの状態にいる。（『動物たちのバベル』第三幕ト書き[34]）

注

（1）この比較研究にあたり、筆者に大いなる刺激を与えてくれた以下二つの機会に感謝する。まずはＴＭＰ（Yoko Tawada-Heiner Müller-Project）を立ち上げ、多和田葉子の文学と演劇の関係を考察するというイニシアティブになって Yoko Tawada 研究を広げることに尽力された谷川道子氏。谷川氏とともに『夜ヒカル鶴の仮面』の日本初上演を実現させた演出家の川口智子氏。両氏を中心に、京都芸術大学「舞台芸術作品の創造・受容のための領域横断的・実践的研究拠点」における劇場実験型Ｉでの上演が二〇二一年に実現した。谷川道子氏の急逝（二〇二四年一月）にあたり、いまあらためて、ここまで導いてくださった恩師にこの論考を捧げ、哀悼の意を表したい。また、動物とジェンダーを軸として多和田の演劇をあらためて捉え直す本章執筆の機会を与えてくれた神奈川大学人文学会の共同研究「〈身体〉とジェンダー」研究会のみなさまにも心から感謝したい。

（2）「シュタイエルマルクの秋」での初演とその後のドイツ語圏での上演に関しての批評は以下の文献と拙論を参照されたい。中島裕昭「多和田葉子の戯曲作品『夜ヒカル鶴の仮面』について」、東京学芸大学紀要出版委員会編「東京学芸大学紀要　第2部門 人文科学」第四十九巻、東京学芸大学、一九九八年、一〇五―一一三ページ、小松原由理「多和田葉子『夜ヒカル鶴の仮面』とクィアな棺桶」、ＡＩＣＴ日本センター編「Theatre arts. 演劇批評誌――劇と批評の深化のために」第六十六号、ＡＩＣＴ日本センター、二〇二二年、七一―八一ページ。なお、東京都国立市出身の多和田葉子に焦点を当て、その多様な芸術活動を紹介するべく、くにたち市民芸術小ホールでは二〇一六年から「多和田葉子複数の私」というシリーズ企画を立ち上げている。一八年はこの企画のなかで、演出家の川口智子が『動物たちのバベル』を事前に募集した市民とともに作り上げて上演し、さらに二二年には、多和田による書き下ろしオペラ『あの町は今日もお祭り』を同じ形式で上演している。二三年九月の『夜ヒカル鶴の仮面』もまた同様に一般市民からの応募者が舞台に立っている。多和田葉子の演劇はこうした日本での上演実績との関連からも、さらなる研究が期待される。

(3) Yoko Tawada, Die Kranichmaske, die bei Nacht strahlt, in: Theaterstücke.(Yoko Tawada. Mein kleiner Zeh war ein Wort), Tübingen, 2013. S. 9. 本章での二つの戯曲『夜ヒカル鶴の仮面』と『動物たちのバベル』の分析には、同戯曲集を基本的に用いる。日本語訳は多和田による以下の二冊を参考にしている。AICT日本センター編「シアターアーツ」第五号、晩成書房、一九九六年、『献灯使』(講談社文庫)、講談社、二〇一七年

(4) 多和田は一九九一年にハンブルク大学に提出した修士論文でポリフォニー演劇としての『ハムレットマシーン』論に集中的に取り組んだ。ミハイル・バフチンの『ドストエフスキーの創作の問題』を批判的に論じたその画期的な論考 “Eine, Lesereise’ (mit) der Hamletmaschine. Intertextualität und Relektüre bei Heiner Müller” の日本語訳は以下を参照されたい。谷川道子／山口裕之／小松原由理編『多和田葉子／ハイナー・ミュラー　演劇表象の現場』東京外国語大学出版会、二〇二〇年

(5)『動物たちのバベル』執筆の経緯は以下を参照した。谷川道子／谷口幸代編『多和田葉子の〈演劇〉を読む——切り拓かれる未踏の地平』論創社、二〇二一年、七八ページ

(6) Yoko Tawada, Mammalia in Babel, in: Theaterstücke, a.a.O., S. 312.

(7) Ebd., S. 13.

(8) Ebd., S. 23.

(9) Ebd., S. 26.

(10) Ebd., S. 32.

(11) Yoko Tawada, Theaterstücke, a.a.O., S. 293 f. なお、イヌ、ネコ、クマ、キツネ、ウサギは多和田による日本語版「動物たちのバベル」に準じて引用の際はカタカナ表記としている。

(12) Ebd., S. 294.

(13) Ebd., S. 295.
(14) 前掲『多和田葉子の〈演劇〉を読む』八二ページ
(15) Yoko Tawada, Theaterstücke, a.a.O., S. 295.
(16) Ebd., S. 304.
(17) この指示は日本語訳のト書きにだけ書かれている。前掲『献灯使』(講談社文庫) 二六一ページ
(18)『平凡社大百科事典』第十二巻、平凡社、一九八五年、五四ページ
(19) Yoko Tawada, Theaterstücke, a.a.O., S. 16.
(20)『平凡社大百科事典』第二巻、平凡社、一九八四年、三五一ページ
(21) Yoko Tawada, Theaterstücke, a.a.O., S. 18.
(22) Ebd., S. 19.
(23) Ebd., S. 19.
(24) Ebd., S. 21.
(25) 袁嘉孜「エクソフォニーと変身――多和田葉子『Das Bad／うろこもち』を中心として」、北海道大学大学院文学研究院映像・現代文化論研究室編「層：映像と表現」第十五巻、北海道大学大学院文学研究院映像・現代文化論研究室、二〇二三年。なお、袁は日本比較文学会の全国大会(二〇二三年六月、東京外国語大学)で、多和田のこの「重ね遊び」の手法を取り上げ、多和田が用いたこの手法を「イペルテクスト的拡大」と名付けて「ふたくち男」についても分析している(袁による学会配布資料から)。
(26) Yoko Tawada, Theaterstücke, a.a.O., S. 15.
(27) Ebd., S. 33.
(28) Ebd., S. 312.
(29) Ebd., S. 304.
(30) Ebd., S. 21.

（31）ドイツ語の鶴（Kranich）という語のなかにわたし（ich）が混入していることは、前述の京都芸術大学での「多和田葉子の演劇」フォーラムの際に谷口幸代氏が最初に指摘している。以下、「ドキュメント 多和田葉子の演劇」一三ページ（[https://drive.google.com/file/d/1JG1AkXChw-VlNoSJ_ER1jLs-bsfuU2GF/view?pli=1]［二〇二三年十二月二十七日アクセス］）を参照されたい。

（32）Yoko Tawada, Theaterstücke, a.a.O., S. 14.

（33）「穴アキ」（アナーキー）の言葉遊びは多和田の『穴あきエフの初恋祭り』（文藝春秋、二〇一八年）に掛けている。

（34）Yoko Tawada, Theaterstücke, a.a.O., S. 310. 傍点は引用者による。

第3章　皮膚感覚的快楽の果てをめざして

――松浦理英子『犬身』論

熊谷謙介

はじめに

「八房、おまえに申しておきます。いったんの義によって伴われて行きますとも、人畜のけじめ、婚姻の分は守ります。これをわきまえず情欲にいずるならば、この懐剣でただ自害あるばかりです。もしまたわらわの言に従い、恋慕の欲を断つときは、おまえは犬ながら菩提の嚮導人《みちびきびと》となります。これを誓うならば、わらわはおまえに伴われていずこへなりと参ります。八房よいか、ききわけておくれ」この言葉を言いおわった時、犬は頭を上げて姫の顔を仰ぎ、しずかに一声長ぼえしたが、その形相は誓うというように見えた。

『南総里見八犬伝[1]』

「鏡の向こうにいる茶色の小柄な犬は、自分自身ではないの?」でも、「じぶんじしん」って何？　他人が目にするもの？　それとも自分がそうだっていうもの？　そんな風にして、フラッシュはこの問いについても考えてみたのだが、実在《リアリティ》の問題を解決することはできず、ミス・バレットに体をさらに押しつけ、「愛情たっぷりに」くちづけをした。いずれにしても、これだけは本当《リアル》だということであった。

『フラッシュ――ある犬の伝記』[2]

人間と動物が対等な関係を築くなんて、そもそもあり得ないと考える人は多いかもしれない。だがズーたちを知って、少なくとも私の意見は逆転した。人間と人間が対等であるほうが、よほど難しいと。

『聖なるズー』[3]

デビューから一貫して、同性愛をはじめ多様な性愛のあり方を描いてきた松浦理英子は、二〇〇七年、『犬身』という不思議なタイトルの作品を発表する。犬を愛するがあまり犬に変身するに至った女性の物語であり、その点では「犬身」とは「犬への変身」ということになるが、人間に対する犬の自己犠牲的な愛を描いた点では、「犬身」とは「献身」を含意するともいえる。いま「犠牲」と書いたが、「牛」偏の漢字よりは、「犬」をつくりとしてもち、「犬の肉を食器に盛って供する」[4]（四六ページ）意をもつとされる「献」を使うほうがやはり適切だろう。古今東西の動物文学を意識しながらも、作中にみられる「ドッグセクシュアル」という語が象徴するように、ノーマルとされるセクシュアリティを問い直そうとするアクチュアルな視点が、『犬身』の特徴である。具体的には、動物同士のじゃれ合いといった肌と肌との触れ合いが、性愛の可能性として称揚され、それをめぐってヒトや犬、はたまた本当は狼である者たちが作中で議論を展開していくのである。

主体性の確立から他者との関係性の構築へ

日本文学の動物表象については、曲亭馬琴『南総里見八犬伝』や中島敦『山月記』など、異類婚姻譚や動物変身譚といった血統が存在する。しかし『犬身』はそうした血脈とは別の、伝統的な文学の枠組みと現代的な関係論が混じり合った「雑種」として存在している。村上克尚『動物の声、他者の声』では日本戦後文学を、人間と動物が結ぶ非対称の関係という視点から俎上に載せているが、戦争によって喪失した人間性の回復であれ、「人間性の理念を安易に受容することを避け、むしろ《動物》の圏域に着目する」[5]動きであれ、作家たちの関心は「自己」に集中していて、その主体性が動物との関係でどのように位置づけられるかが問題の中心だったといえる。そしてその自己が多くの場合、武田泰淳、大江健三郎、小島信夫といった男性作家の自己を指すのであれば、そのかたわらにいる女性の存在は謎をはらむ他者である、〈動物〉として処理されることになる。また、主体性＝主権の回復という観点からは、「飼いならされる」ことを過度にネガティブに捉える傾向も生まれる。彼ら戦後作家たちが否認しようとしたのは、同時代にジャン＝ポール・サルトルと並んで読まれたポール・ニザンの著作名を用いるなら、権力や秩序の「番犬たち」だったのだ。

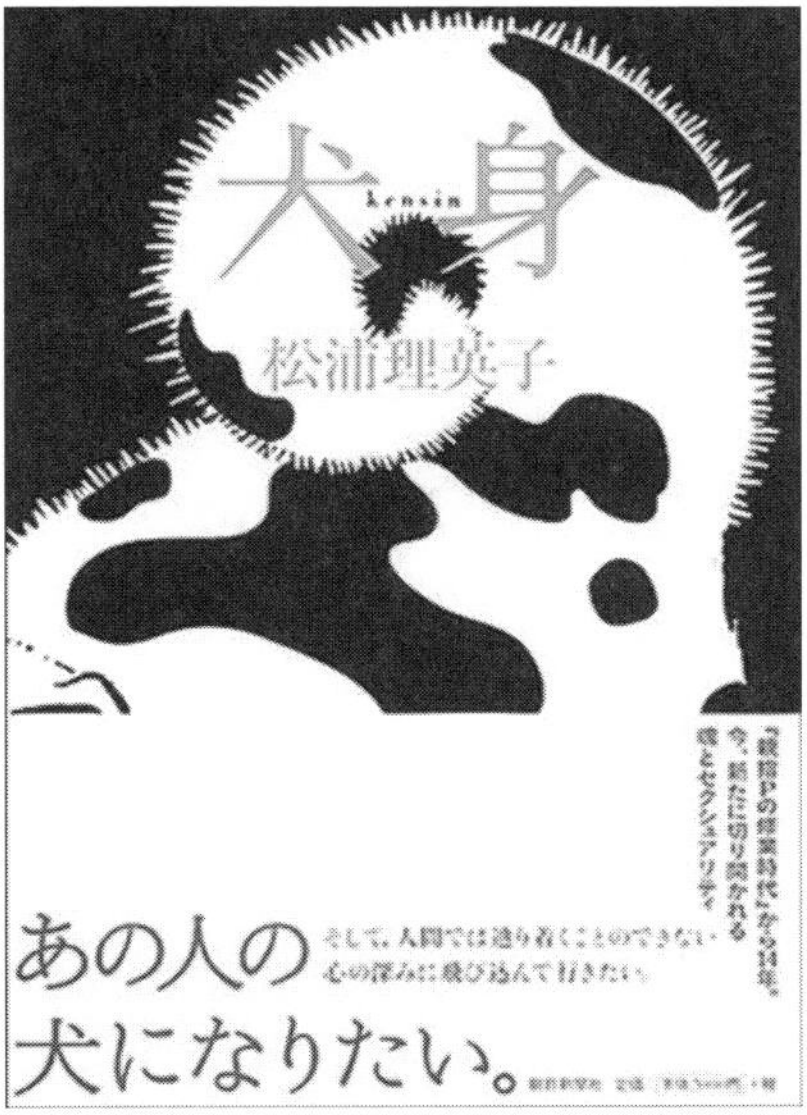

図1　松浦理英子『犬身』（朝日新聞社、2007年）カバー

村上自身、前掲書の「あとがき」で、一九七〇年前後を境に、〈動物〉の地位に大きなパラダイム転換が生じたことを指摘し、倉橋由美子、金井美恵子、津島佑子といった女性作家による動物表象の重要性を示唆している。さらに世紀転換期には川上弘美『蛇を踏む』（一九九六年）、『神様』（一九九八年）、多和田葉子『犬婿入り』（一九九三年）、『雪の練習生』（二〇一一年）など、これまでの男性＝人間的主

体性の回復とは異なる傾向が、日本文学の動物表象にみられるようになる。

武内佳代『クィアする現代日本文学』は『犬身』論も含め、ジェンダー表象と動物表象が交差する地点をたどる本書にとっても、重要な参照点になる研究である。そこでは女性と犬との親密な関係を主題とした作品が二〇〇〇年代から現れ始めた理由として、「現代の女性たちが、妻・母・娘として家族から十分な愛情や理解を得られず、犬との間にその代替としての関係を築く」(6)という傾向があることを指摘している。いわば主体論（自律性）から関係論（他者へのケア）へのシフトチェンジが起きていて、そのなかで動物とりわけ犬が重要な位置を占めているわけである。

「飼い慣らされない」野生動物の神話

加えて動物表象でも「飼い慣らされない」野生動物ではなく、身近なペットといった「伴侶種」（ダナ・ハラウェイ）が注目されはじめる。精神分析批判という一種の主体性批判の文脈ではあるものの、「個体化され、飼い慣らされた、家族的、感傷的な動物」として「猫や犬を愛する者は、みんな馬鹿者だ」(7)と言い放ったドゥルーズ＝ガタリの言葉は、ジェンダー論的視点からも再検討されるべきだろう。「飼い慣らす」という人間優位にみえる関係性でも、実際には人間とほかの種が共存することで両者とも性質を変える「共進化」が起こっているのであり、マルチスピーシーズ人類学的な展開も考慮する必要があるだろう。

前述の武内の『犬身』論は伴侶種やケアの倫理という枠組みに基づく読解であり、かつその背後に潜む暴力性も鋭く指摘した解釈といえる。本章ではこれに加えて、人間と犬との身体的接触のありようにフォーカスを当てたい。松浦理英子がじゃれ合いによってもたらされる「甘い疼《うず》き」にこだわり続けてきた作家であることを示すとともに（第1節）、それを背景にして『犬身』で描かれる新たなセクシュアリティについて、コミュニケーションの観点から論じたい。そこで注目するのが、異種間の関係についての（人間―犬―狼から見た）多様なヴィジョンであり、主人公の欲望がたどる道筋であり、幼体成熟《ネオテニー》あるいは「子ども」であることの意義である（第2節）。そのうえで、スキンシップをもとにした関係性を前景化させた本作で、このいわば本能的な皮膚感覚的快楽が性愛の観点から問いに付される点に注目する（第3節）。それはまさに動物性とセクシュアリティが重なり、かつ交錯する場であり、人間と動物、動物同士、あるいは動物としてのヒトとヒトがともに生きる原動力になるような欲動が描かれる場なのである。

1　熱い触れ合い——『犬身』前後

「わたしは体は人間だけど、魂の半分くらいは犬なのよ」と語り「種同一性障害」を自認する主人公・八束房恵が、理想の飼い主・玉石梓と出会い、謎のバーテンダー・朱尾献の導きで、魂と引き換えにフサと呼ばれる犬に変身する——、このような人間から犬への変身譚は、登場人物たちの名の由来になった『南総里見八犬伝』、そして西洋の民話・文学で支配的な、何らかの罰や不条理によって動物に変えられてしまう話とは一線を画し、自らの意思で動物へと変身するという点で独創的なものである（「人間の姿になったのは、きっと犬だった時にわるいことをしたからだ」〔一八ページ〕）。

一方で、この変身の出発点にあるのは、「犬になって好きな人に優しくされたい」という思い(8)であり、ホモセクシュアル／ヘテロセクシュアルならぬ「ドッグセクシュアル」「好きな人間に犬を可愛がるように可愛がってもらえれば、天国にいるような心地になるっていうセクシュアリティ」（八二ページ）と語られるものである。「本当は犬であった」というアイデンティティは、「私が犬を撫でるように犬になって撫でられたい」という関係性によって形作られたわけで、性自認が性的指向によって形作られたともいえる。変身譚は恋情から始まったのである。

そしてこの「あなたと触れ合いたい」という欲望は、松浦の作品群を貫くものになっている。本節では動物との関連を中心に、この欲望の系譜をたどってみよう。

「犬よ！犬よ！」、あるいは快楽の三分法

初期のエッセー、その名も「犬よ！犬よ！」（一九八五年）では、犬への屈託のない愛が語られるが、松浦はこの愛を文学者としての欠点と自認するほどである（「犬の登場するさまざまな現象に立ち会うその時々に犬への思いが新しく生成するとか、犬を愛する心の奥を探れば思いがけない屈折や歪みがひそんでいたとか、〈文学〉的な精神の揺れ動きが全くないから犬に関して突っ込んで語ることができない[9]」）。一方で、犬が教えてくれたこととして、「撫でかたによって犬が発情したり嫌がってよけたり安心しきって眼を閉じたりすることから、エロティックな愛撫と一方的で思い遣りのない触りかたと正しいスキンシップの違いをも理解した（これは後年人間と交際する場合にも非常に役に立った）」と述べ、発情を引き起こす接触、好意のない接触、適切なスキンシップという三区分、とりわけ性的愛撫とスキンシップを区別している。

さらに、このエッセーが書かれたのと同じ時期には、非性器的な快楽をたたえる官能的なマニフェストともいうべき「優しい去勢のために」を発表している。「去勢をすませたあなたとわたしの体にも、ただの器官としての性器は残っている。静かな性器ならば眼障りではない。特別な価値を持たないし、何事も代弁せず象徴せず暗示しない。多分性別でさえ表わしてはいまい。あなたとわたしは性器による〈表現〉をやめたのだ[10]」。このようなヴィジョンは『ナチュラル・ウーマン』（一九八七年）、そして実効性のないペニスが足の親指に生えた女性の遍歴の物語『親指Pの修業時代』（一九九三年）で描かれることになる。

『親指Pの修業時代』、あるいは皮膚感覚的快楽と「ときめき」

『親指Pの修業時代』は『犬身』に先駆けて、ゲーテの作品『ヴィルヘルム・マイスターの修業時代』を参照していて、旅回りの一座はフリークスの見せ物である「フラワー・ショー」に形を変えている。この作品について松浦は、オルガスムス的快感＝性器的な快楽と対比させて「好きな人と抱き合ったり手を繋いだりじゃれ合ったり、あるいは接吻したり、必ずしも性行為に結びつかない、性器的な欲望に導かれて起こるわけではない、好きな人と軽くスキンシップすれば非常に気持ちがいいというような皮膚感覚的な快楽の方を読者に与えたい[11]」と述べている。親指ペニスは、快楽を受動的に受け止める皮膚全体のアレゴリーになるわけである。

この皮膚感覚的な快楽を提示するのは、『親指Pの修業時代』では犬童春志という盲目のミュージシャンである。主人公・真野一実が、「真実を一心に追い求める」ことを示唆する名を付与されているように、彼の姓にある「犬」そして「童」という字に注意したい。親指ペニスを切り取ろうとする恋人から彼女を救い出した春志は、一実と恋愛関係になるものの、体を触り合うようなスキンシップを図るだけで性器の結合はなかなかおこなおうとしない。一方で春志は「誰にでも気持ちよくしてもらえれば嬉しい」という人物で、幾人もの男たちから体を触られる経験をしていた。「ずっとたいせつにし合って行ける特別な人間などはなから求めておらず、その場その場を愉しめれば満足のように見える[12]」という春志に一実は戸惑いながらも、性的結合がもたらす独占欲や嫉妬にも思いを致し、動物や子どものようなじゃれ合いの喜びについて考えるようになるのである。

春志との性行為は、スキンシップの延長の静かな遊戯だった。私たちは幼い子供のようにじゃれ合い慈しみ合ううちに、いつの間にか裸になっているのに気付くのが常であり、欲望を昂めてから衣服を取っていたわけではないのである。また、猛々しい欲望とは無縁の春志のそばでこの上なくリラックスしていた私は、煮詰まるほどには性的欲望を昂まらせることもなかった(13)。

一方、一実は、フラワー・ショーで出会った映子とも恋愛関係に陥るが、欲望が満ちたうえでの性行為は春志との触れ合いとは対照的なものだった。「春志や映子との性行為を理想的だったと言いきるのにはためらいを覚える。流儀だけなら春志との性行為は理想的だったが、強い昂奮と快楽に欠けていた。映子との性行為には強い昂奮と快楽があったが、流儀が合わなかった。二人との性行為のよいところだけを合わせれば、私の理想はでき上がる。愛情だけでは足りないのだ(14)」と、のちに一実は振り返る。笙野頼子との対談の際の松浦の言葉を借りるならば、「男根主義とか性器結合的な性愛観」に対峙するものとして、「精神的なときめき」(愛情)と「皮膚感覚的な快楽」という二つの快感が、性愛の領域に含み込まれているといえるだろう。そして後者の快楽の例として挙げられているのが、犬を抱いたときの気持ちよさなのである(15)。

『最愛の子ども』、あるいはアフェクションの徴

『犬身』後の作品でも、このようなスキンシップ的な喜びはしばしば描かれることになる。『最愛の子ども』は、女子高校生三人のユートピア的な関係性が、彼女たちの同級生である「わたしたち」を主語に語られる作品だが、〈パパ〉と〈ママ〉である日夏と真汐は、〈王子様〉である空穂の顔を弄り「顔の肉のやわらかさやなめらかさや弾力を指で味わう」。「わたしたち」は日夏を「触れられた者が気持ちよくなる触り方をする」「愛撫の天才」とほめそやし、「親猫に毛づくろいされる仔猫の気分になる」とか「触り方が優しくてためらいがなくて余裕があって、そのまま身をまかせたくなる(16)」と口をそろえて称賛するのである。このような日夏の振る舞いについて、高校生たちは英英辞典を引いて定義を試みる。

この間空穂の家に泊まった時、日夏がわたし〔真汐——引用者注〕の頬を指で軽く叩いたあの動作、単語帳に載っていたのだけれど英語では pat というらしい。もっと詳しくニュアンスが知りたくて英英辞典を見てみると、解説文中の a sign of affection という記述が目を惹いた。（略）ある辞書に affection は「(子や妻に示すような) 愛情。優しい思い」とあり、love よりも限定的な愛情を示すらしいことがわかった。それからは sign of affection という語句を思い出すたびに、いくらかの照れ臭さとともにふわふわとしたいい気分になる。(17)

世間でいわれる愛は、性器的結合や一対一という独占的な関係を前提とし、強い興奮を呼び起こす一方で、快楽を持続させることが困難であり、ときに返礼を要求し嫉妬も招く。それに対して、子どもや小動物を撫でてかわいがるような優しさを基調とした affection という感情が、ここでは登場人物たちのほほ笑みとともに語られているのである。

『ヒカリ文集』、あるいは「賢い犬」

現時点で松浦の最新作である『ヒカリ文集』でもまた、劇団員たちの欲望をことごとくひきとって魅了していく「心のない」ヒカリと、彼女たち・彼らの関係性は、affection そして動物の相のもとに表現されているといえるだろう。

こちらを見つめるヒカリの顔はこの時も賢い犬のようにおとなしげで、咎めだてするでもなく何か要求するのでもなく、問いかけるような、訴えかけるような、まろやかで温かいものを手渡すような、さりげない働きかけで慎ましくこちらの反応を待つような、そんな気配だけを淡くまとっていた。(18)

（傍点は引用者）

「何でやめたの？　撫でてくれればいいのに」

無防備な子供のように言うとヒカリは目を閉じた。許可をもらったのでヒカリの頭に触れた。手は小動物を撫でる時のように自然に動いた。ヒカリは寝ているのか起きているのかわからなかった。顔の片側をベッドに押しつけたヒカリの口元は頬が流れて少し膨らみ、いちだんといたいけに映った。心の中には、可愛いという気持ちとかわいそうという気持ちが交互に顕われた。どちらの気持ちでも優しく撫でることに変わりはなかった。撫でることに満足すると冷たい頬に掌を当てた。(19)

（傍点は引用者）

傍点部分にみられるような動物の隠喩やヒカリの優しさを示唆する表現は、同性愛を正面から描いた作品から、『親指Pの修業時代』や『犬身』などのファンタジー的な作品を経て、一見、日常的にみえる人間関係のなかにある性愛の多様性を緻密に描いていく近年の作品まで、一貫したものといえるだろう。

2　人間—犬—狼の異種間コミュニケーション

「まろやかな唇」から発せられるもの

『犬身』の主人公・房恵はタウン情報誌のライターで、かつて仕事で知りあった陶芸家の梓と彼女の愛犬ナツと再会するところから物語が展開していく。過去に取材したときには、梓の顔よりも「ナツの毛の色と同系色でそれよりも黄色味のまさったセーター」に房恵は目を引かれた。再会後に写真を見返して房恵は、「輪郭のくっきりした瞳は、情愛をたたえて深く、まろやかな唇は人間と話すよりも犬を呼ぶ時の方が美しく開くだろうと思わせ、（略）体のやわらかい感じは、慕い寄る犬をいかにも温かく受け止めそうだった」（四一ページ）と想像する。情愛や「まろやかさ」は前節でみた女性描写、あるいは登場人物間の交流の描写に通じる特徴だが、このように徹底して犬の立場からみた描写は、松浦自身が多和田葉子との対談で語る、擬人法ならぬ「擬犬法」による表現といえるだろう。[20] 房恵の頭のなかでは、人間世界の事象は、動物すなわち犬の世界で起こっていることに結び付けられ、いわば「引き上げられる」のであり、彼女にとって梓とのおしゃべりは、じゃれ合うことそのものである（「わたしは今梓と遊びたくてじゃれかかるように喋ってる」〔五八ページ〕）。

一方、このような両者のおしゃべりは必ずしも共感の確認に終始するわけではない。小さいころからの「犬化願望」を告白し、犬と混じり合いたいという思いを吐露する房恵に対して、梓は、「わたしは犬になりたいとは思いませんね。犬と混じり合いたいとも思わない。犬は自分とは別のものでなければ困る」（五七ページ）と返している。房恵と梓は犬への愛を共有しながらも、梓にとっては人間と動物という異種の関係が重要であり、「わたしの中のいい要素を犬が惹き出して拡大してくれる」から、そのために犬が必要とされる。梓の「まろやかな唇」から発せられるのはやはり犬を呼ぶ言葉であって、房恵が夢みるように、人間の言葉を捨て、飼い主に向かって駆け寄り、撫でられ、甘い息をもらすことを、梓は想定していないのである。[21]

このような理想のコミュニケーション像は、房恵や梓の認識の展開を通して問われ続けることになる。物語の終盤、近親姦を強要する兄と助けを求めても呼びかけに応じない母に絶望して、梓が「わたしも犬になりたいです」とため息をつく場面がある。しかし彼女は「フサと夫婦になるのは近親姦のような……」と思い直す。

何なんでしょうね、犬と飼主の関係って。友達のようでもあり、きょうだいのようでもあり、親子のようでもあるけれど、人間同士とは何かが決定的に違う。種が違うんだからあたりまえといえばあたりまえですけど。でも、種が違うから隔てられてるという気はしないんです。むしろ種の違いがうまく作用して、強く惹

き合い結びついていると思う。奇跡のように相性のいい組み合わせですよね、犬と人間って。（四六〇ページ）

支配関係やそれを補完してしまうこともある共依存という心理、さらには嫉妬が満ち溢れる人間の世界に疲れ果てながらも、梓はフサとは飼い主とペットという関係性を保持しつづけようとしている。それは房恵とかつて互いに恋愛感情を交えずに同居していた久喜がいうところの、「男と女だから当然こういうことをするだろうと思うことをやってただけ」（二九五ページ）という認識とは、好対照をなすものである。でもあいつは人間よりも犬に興味があったから、と嘆息する久喜に対して朱尾がいう、「ほんとうは豹とライオンなのに、自分たちは同じ種だと思い込んで結婚したり子供をつくったりしているカップルも、この世にはたくさんあるかも知れませんね」（二九六ページ）という言葉は、種といったアイデンティティやセクシュアリティがもつ既成概念にとらわれた人間たちの姿を批判的に浮き上がらせているといえよう。

「わたしは犬になり、あなたはわたしになり、わたしに触れる」

この房恵と梓の認識の違いは、内藤千珠子が『犬身』について指摘したある逆説を解きほぐすものにもなるだろう。それは、犬を愛するがあまり犬になってしまえば、これまでのように犬を愛せなくなり、対象喪失に陥るという逆説である。[22] 内藤は房恵の欲望の対象が明確に定まるためには、「わたし」のかわりに犬を愛し撫でてくれる存在、すなわち梓の登場が不可欠だったと主張する。内藤の論考のタイトルである「わたしは犬になり、あなたはわたしになり、わたしに触れる」は、房恵の欲望のありうべき道筋を端的に示したものといえる。

犬になればわたしは自分が犬に与えてもらった喜びを梓に与えることができる。それがどんなに素晴らしいものか、わたしにはわかる。犬になって人間では辿り着くことのできない梓の心の深みに飛び込んで行きたい。会話や性行為に頼るのではなく、犬と人間の関係に特有の、気持ちと気持ちをじかに重ねるような交わりを、梓としたい。

（一〇八ページ）

このような「わたし」と「あなた」の関係性は、デビュー作である『葬儀の日』（文藝春秋、一九八〇年）から一貫して松浦文学の基本になっているという意味でも重要だが、ここではすでに述べた、房恵と梓の考えの差異を重視したい。梓の考えでは、犬に変身することは、人間と動物の関係を揺るがせてしまうものとして矛盾でしかないが、房恵にとっては、犬を愛するということは獣姦や動物性愛とは異質の、犬という存在様式への憧れであり、犬になって自分を愛してくれる飼い主に撫でられることこそ、至上の喜びなのである。そしてそれは梓と出会う前、子ども時代から漠然としたかたちではあったが秘めていた房恵の希求ではなかったか。

実際、犬に変身できた房恵は鏡を見てその愛らしさに狂喜するが、「自分が犬になっても犬が可愛いんだね」という朱尾のからかいに対して、「それはそうよ。犬が好きだからこそわたしはわたしなんだもの」（一四〇ページ）と返している。鏡が自己投影の装置であるならば、これ以上に房恵の欲望を明確に映し出す場面はないだろう。[23] この鏡として梓が位置づけられることは確かだが、もう一つの存在が房恵＝フサにとって鏡の機能を果たしていることも見落とすべきではない。撫でて慈しんではくれないが、フサと精神的コミュニケーションをとる相手である、朱尾という存在である。

狼と犬の間

房恵と梓を結び付け、房恵の魂と引き換えに彼女を犬にするという契約を実現させた〈天狼〉という店のバーテンダー・朱尾献というキャラクターは、変身後のフサと精神上の対話――フサを挑発するような憎まれ口をたたきながらも、梓の苦境に悩むフサを導くような対話——を繰り広げる。房恵は、ゆったりした気持ちにさせてくれる朱尾を「執事」さらには「慈母」(七〇ページ)のような存在と感じるが、朱尾自身は、『ファウスト』のメフィストフェレスよろしく、房恵を誘惑する悪魔的な「下僕」(七七ページ)を自認している。メフィストフェレスは『ファウスト』ではむく犬に身をやつしているが、『犬身』の朱尾は狼とされる。梓と同様、房恵＝フサを「慈しむ」存在だと思わせながら、女性の魂を奪おうとする誘惑者＝狼(「魂は合意の上でいただくものだ」〔七二ページ〕)、朱尾自身の言葉を借りれば「人に苦痛を与えて喜ばせてしまう者」(一一一ページ)とは、どのような存在なのだろうか。

現在の学説では、犬の起源は狼とされている。狼のなかから残飯を食べるために人間がいる場所に近づいていく群れが現れ、人間たちもまたこうした狼に餌をやりはじめる。この一団が「犬」になって人間たちの居住地を狼から守り、人間の仲間になったと考えられている。狼は群れのリーダーに従うが、人間に飼われるようになった犬は、飼い主である人間を群れのリーダーだと思い、忠誠を尽くすのである。寄生から始まった人間と犬の関係は、共存共栄の関係へと展開し、狼の性質を基盤に人間は犬と、ほかの動物ではありえないほどの良好なパートナー関係を築き上げたといえるだろう。

狼たる朱尾にとって、人間と犬の仲睦まじい姿は認めがたいものでもあり、変身後の犬のモデルを探しにドッグ・パークに行った際には、この伴侶種のあまりのナイーブさにいら立ちさえみせている。「全く、犬があんなに人間になつくのは動物として異常だ」「くだらない人間を慕って言いなりになっている犬を見ると、首根っこをつかんで、おまえは実に愚かしい生きものだよと耳元でどなってやりたくなる」(一一八ページ)。狼の出現によって、野生と「飼い慣らし」の差異が改めて導入されるとともに、人間(梓)—犬(房恵)—狼(朱尾)という三つの立場から、異種間の関係が考察されていく。

異種間の連帯

『犬身』は動物福祉やセクシュアリティなどアクチュアルな主題が重層的に絡み合う現代的な作品といえるが、一方で神話的相貌をまとった場面も用意されている。変身後、フサは梓が彼女の兄・彬から性的虐待を受けていることを知るが、彼女がレイプされた日の夜、外をさまようフサは狼である朱尾に導かれて草叢のなかに分け入り、丘の雑木林をくぐる。

足元のぬかるみはひんやりと気持ちよく（触覚）、泥の涼しい香りもした（嗅覚）。木管楽器のようなフクロウの鳴き声も聞こえ、小動物が慌ただしく走っていく音もするなか（聴覚）、せせらぎのほとりに出る。冷たい水に口をつけ（味覚）、黄色っぽい小さな花が暗闇のなかに浮かび上がるように咲いているのを見て快感を覚え（視覚）、いやな臭いがきれいに落ちて丘の風物の好ましい匂いに包まれる（嗅覚）……。フサが狼とともに享受するのは、このような五感全体で味わう感覚群なのである。

狼は少し離れて地面に横たわり、かすかに光る二つの眼をフサに向けていた。その眼には何の感情も表われていなかったけれど、朱尾がフサの気鬱を慰めるために丘の奥地へと連れ出したのだということは、もう訊いて確かめる必要もなかった。フサは朱尾といることでかつてないほど安らぎ、狼と同じようにその場に肢をたたんで休んだ。心が通い合っているというのは大袈裟でも、ことばを交わすことがまわりくどく感じられるほど、その時フサは狼と気分を一つにしていたと思う。動物同士の連帯は、こういう気配の伝達と気分の共有を基本にしているのかも知れない、そんなことも考えた。

（二七八ページ）

このように「ことば」がじゃまになるような、コミュニオン（共感）ともいうべきコミュニケーションのあり方を、フサは朱尾から学ぶのだが、フサもまた傷ついた梓に対して、人間と犬の原始の関係を反復するかのような想像をめぐらす。彬に暴行された翌日から梓は、フサを寝室に入れて一緒に寝るのを習わしにしたが、フサは侵入してくる彬との闘いに備えるのである。

夜になると梓と籠もる六畳ほどの寝室は古代の洞窟のように感じられた。眠る梓のかたわらで暗闇を見回す時フサは、梓とともに兎や雉を狩り肉を分け合って食べ、住みかの洞窟では危険な獣の接近を梓に知らせる生活を空想して憧れた。その空想の中の梓は犬だけを、さもなければ狩りの仲間として鷹も伴侶とする単独生活者で、罠をしかけるのも武器を作るのも誰の力も借りない。もちろんそこでも梓は、壺やら碗やらを自分の手で熱心に焼く。フサはといえばありえないほどの運動能力を持つ狩りの得意な不死身の犬だった。洞窟に侵入して来る敵は毒蛇でも熊でも猪でも壮絶な闘いの末に必ず倒す。

（一八三ページ）

人間に仕える役目を負うと同時に、犬は外敵の侵入を知らせ猛獣と闘う存在である。これもまた犬になって、また梓の家族による暴力に直面することで、房恵が得た認識だといえるだろう。両者の愛の住みかといえる梓の寝室は、彬という敵の来襲に備える防衛基地へと変貌し、愛玩動物と飼い主というイメージを超え出るような犬と人間の関係性が現れるのである。

性別移行と幼体成熟《ネオテニー》

彬の暴力から梓を守るという物語上の理由からか、朱尾は房恵をフサとして変身させる際に、女性から牡犬《おすいぬ》へと「性別移行」させている。「もしあなたが犬になった後玉石梓に性的欲求を覚えたら、生まれて何年目であろうともあなたの犬としての寿命はそこで尽きます。魂はもちろんわたしのものです」（一〇八―一〇九ページ）という契約は、異性愛を前提とするならば物語上の枷として機能するだろうが、スキンシップ的な快楽を性的欲求と考えるべきか否かについては、各登場人物の言葉とともに次節でみていくことにする。この性の転換についてはフサは変身後しばらくの間気づかず、去勢手術の話ではじめて露見することになるのだが、抗議するフサに対して朱尾は、自分をドッグセクシュアルと称していたのに自分の性別にこだわってどうする、と相手にしない。

去勢の問題は、伴侶動物を飼ううえで特に現代の都市生活では無視することができないものだが、ここではフサがオス／メスという身体的性別にずっと気づかなかったことに注目したい。房恵からフサへの変身のもう一つの特徴は、成犬ではなく仔犬への変身であり、そのため生殖器が十分に発達していなかったのである。

朱尾が仔犬を変身の対象として選択したのは当然、梓が気に入るようにするという意図だろうが、松浦自身の理想のセクシュアリティ像の反映のようにも思われる。性別がはっきりとしない子どもであり、性器にとらわれない多形倒錯的な欲望を示す時期というのは、性器的結合からのセクシュアリティの解放を考えるうえで、欠かすことができないモチーフだといえる。[24] すでにみたようにこれは、『親指Pの修業時代』の犬童春志、また『犬身』後の作品である『最愛の子ども』や『ヒカリ文集』（「（無防備な）子供」「小動物」）にみられるものだが、そこにはかわいらしさとともに、成熟を拒否するという秩序転覆的な面も確認できる。ドッグセクシュアルという概念について、「それははたしてセクシュアリティの名に値するのか（略）だって、あまりにも基本的な快楽ではありませんか、撫でられて感じる気持ちのよさって。子供だったらそれだけの気持ちよさで満足するでしょうけどね」（八二ページ）と朱尾は懐疑的であり、「そうみたいね。人間としては成長しなかったのかも知れない」（八三ページ）と認める房恵は、確かに既成の性愛観からすれば、三十歳にして未成熟といわれかねないものだろう。[25]

この点で初期作品『セバスチャン』（一九八一年）で示唆されている「幼体成熟《ネオテニー》」という概念は、性器なき性愛の可能性を告げるものといえる。『セバスチャン』は盲目のミュージシャン春志の系譜ともいうべき、不自由な足を見せ物にするかのようなパフォーマンスをするミュージシャン・工也が登場する作品だが、幼体成熟という概念はこの作品をめぐって後年おこなわれた富岡幸一郎との対談のなかで、松浦が言及したものである。[26] 作品中では次のような例が挙げられるだろう。

「不自然ね。同性愛者でもなく不感症でもなく。単に性的に未熟ってことかしら。」

「七歳の女の子を見てると、子供たちが皆やがては人格とか言うものを持ってしまうことが痛ましく思えて来る。」

〔猫に襲われたアヒルが死に、猫が血だらけになったことに子どもと一緒にショックを受けている主人公たちに、子どもの母親が言う〕「嫌だ、いい年をしたあなたたちまで滅入っているの？　発育不全よ。」

麻希子の目の前で二人は子供のように抱き合っていた。（略）

律子と工也は不思議な自然さで接吻をしていた。テレビを見ていたずら心を起こした幼児たちが接吻とはどういうものなのか試している、と言った風で少しも性的な感じがなく、麻希子は淡白に二人を眺めた。[27]

「子ども」であることは、男であるか女であるかのいずれかを強いる社会で生き延びるための一つの方法である。『セバスチャン』で展開されたサディズムやマゾヒズムのようないわゆる「性倒錯」的要素は、『犬身』はじめ近年の作品では一見後景化していったようにみえるが、マニフェスト「優しい去勢のために」の結びの言葉を借りるなら、房恵もまた〈セックス・ギャング・チャイルド〉であることに変わりはないのである。付け加えるならば、『犬身』の舞台が「狗児市」という名の架空の街に設定されていることも、決して偶然ではないだろう。

3 スキンシップと性的快楽のあわい

朱尾が房恵に提示した契約をもう一度確認しよう。そこでは房恵が犬として幸せな生涯を全うした場合には魂は朱尾に譲渡される、ただし、犬になったあと、梓に性的欲求を覚えたらその時点で寿命が尽き、その場合でも魂は譲渡されるというものだった。房恵が牡犬になったことを考えあわせると、ここにはフサと梓の関係を世間でいわれる獣姦や動物性愛とは区別しようとする意図が読み取れる。その一方で、性的欲求が幸福を導くものだと考えるなら、動物が性的欲求を感じずに幸福な生涯を終えることは可能なのか、という問いも生まれる。

後年、『聖なるズー』で「ズー（動物性愛者）」のセクシュアリティを取材した濱野ちひろとの対談では、松浦は『犬身』時点では動物性愛について注目してこなかったが、「人間と人間のそばで暮らす動物、とりわけ犬と人間の間に通う特別としか思えない愛情はいったい何なんだろう、また犬と人間の触れ合いの喜びは性的な喜びとどう違うのか、あるいは違わないのか」を考えて『犬身』を書いたと語っている。[28] 濱野には房恵はズーあるいはファーリー（着ぐるみをかぶって動物になる実践を好む人たち）にみえたようだが、実際には房恵は性愛について梓や朱尾との対話を通じて様々な考察を重ねている。それらの考察を詳しくみることは、第1節でみたように、皮膚感覚的な快楽を出発点として『犬身』という物語を構成した、松浦自身の思考の変遷をたどることにもなるだろう。

「胸のときめき」とケア

犬になる契約を交わす前、『狐になった夫人』を記したデヴィッド・ガーネットが同性愛者あるいはバイセクシュアルだったという話から、朱尾は房恵に彼女のセクシュアリティについて尋ねている。梓に同性愛的な感情を抱いているのではないか、という問いに房恵は「あの人の犬になりたいというわたしのファンタジーに、キスだの乳房だの性器だのの性的な事柄はいっさい出て来ないのよ」と答えるが、梓に頭を撫でられてうっとりしていたのはどうしてか、「性的な触れ合いとそうでない触れ合いの境界線は曖昧ですからね」（八一ページ）と、朱尾は懐疑的である。これが「性的欲求をもたないこと」という契約条件につながるのだが、この条件は房恵だけでなく新たなセクシュアリティのあり方を探求する作者自身にも突き付けられているといえるだろう。房恵がいうところの「ドッグセクシュアル」とは同性愛やバイセクシュアルに至る前の未熟な性的指向にすぎないのではないか、結局は既存のセクシュアリティに回収されてしまうのではないか、「それははたしてセクシュアリティの名に値するのか」という問いかけである。

「犬になって人間では辿り着くことのできない梓の心の深みに飛び込んで行きたい。会話や性行為に頼るのではなく、犬と人間の関係に特有の、気持ちと気持ちをじかに重ねるような交わりを、梓としたい」（一〇八ページ）というのが、犬になる前の房恵の思いだった。変身を遂げた当初、フサは自身の排泄物の処理をしてもらうことを想像して恥ずかしさや申し訳なさを覚えるが、同時に「ほのかに甘美な喜びが生まれる」ことにも気づく。「こと相手が梓であれば、世話をしてもらうことそのものが一つの遊び、一つの親愛の情の表現だと感じられる。恥ずかしさや遠慮を克服して身をゆだねたい」（一四四ページ）というのが、房恵＝フサが犬になって発見した喜びの新境地だった。

好きで信頼している相手に面倒を見てもらうことがこんなに気持ちのよくなるものだなんて、とフサは驚いていた。人間だった頃には想像したこともなかったけれど、ご飯を出してもらったり危ない真似をしないように見守ってもらうことの気持ちよさは、心の喜びばかりではなくて、撫でられたり抱かれたりすることの感覚的な気持ちよさとそう遠くない。相手にすべてまかせて愛情を受けるという意味では二つのことは重なるし、事実、世話をしてもらうと直接触られてはいないのに、胸のときめきが体中に広がって見えない手で撫で回されているような心地になる。

（一五七ページ）

皮膚感覚的な快楽とは別の、しかしそれとは「そう遠くない」気持ちよさとして定義されているこの喜びは、一般には、肉体的な快感と対比される「心の喜び」に還元されがちだが、松浦はそれを「胸のときめきが体中に広がって見えない手で撫で回されているような心地」と描写している。武内はここに「愛する者から皮膚感覚的な快楽を得たい欲望というよりも、手厚く世話《ケア》をされたい欲望(29)」を見て取るが、このようなケア論的展開は『犬身』では最後まで一貫しているだろうか。

「鋭い喜び」への深まり

物語が進むにつれて梓の苦境は深刻なものになっていく。兄・彬にオーラルセックスを強制される梓は、フサに見られまいとして扉を閉め、あとで申し訳なかったという顔をするが、フサは人間だったら言葉で慰めるところを、「もどかしさに悶え」「膝の上で伸び上がって梓の顎や頬をぺろぺろと舐め」るという、最も犬らしいといえるやり方で慰めようとするほかなかった（二〇二ページ）。朱尾との心のコミュニケーションでは、「人間のことばで話し合ってみたかった。こういう重い問題について真摯に話すような濃い交わりもしてみたかった」（二〇四ページ）と漏らし、異種間のコミュニケーションの限界にも言及するが、その一方で言葉が通じない小ささ

者によるケアの特性も浮かび上がる場面だともいえる。(30)

当初、人間と愛玩動物の他愛のないスキンシップがもたらす喜びを無条件にたたえていた松浦文学は、『犬身』という思考実験を経て、自らの犬の見方に欠けていると考えていた「屈折や歪み」、「〈文学〉的な精神の揺れ動き」を備えて、この原初の快楽についての考察を深化させていったといえるのではないか。孤独に陥った梓は、精神治療薬を毎日服用するようになり、フサに差し伸べる手も頼りなげで、フサと見つめ合う時間だけが長くなっていく。「見つめたところで、梓の考えていることが見通せるわけでもなければ、梓の憂鬱を吹き払ってあげられるわけでもない」という犬であることの無力感に苛まれながら、「かりに人間であったとしても梓にかけることばは見つからない」(三四四ページ)という、人間のコミュニケーションの限界にもフサは思い至る。

それでもことばにならない思いはフサの眼から溢れて梓に向かって流れ出すのか、フサの視線に気づくと、梓の沈んだ表情はいたわる表情、いとおしむ表情に変わり、フサを撫でる手も活気づくことが少なくなかった。

梓がフサの毛の毛触りや温もりに慰めを求めて始まる触れ合いでも、背中に手を置かれたフサが振り返り見上げると、梓はフサを気持ちよくすることに積極的になり、指先でフサの頬の毛を逆立てるようにかき回し、顎の下をくすぐり、前肢の毛をとかしつける。フサの方は梓の手が舌の届く所にある時は梓の動きに合わせてやわらかく舐め、やがて体を倒してうっとりと身をまかせるのだけれども、塞ぎがちな梓がフサの視線に鼓舞されるように優しさを発揮してくれるこの頃は、横たわって脱力した体にも心にも単なる満足感ではない鋭い喜びが生まれる。(三四四ページ)

動物は「ことばにならない思い」を視線で伝えることができるのだろうか、と断言しない形で示唆しながら、慰められケアされるべき対象だった梓は、フサをいとおしみ、ケアする主体へと転換する。ケアの相互性（ケアすることによってケアされる）がここで浮かび上がるのだが、それにとどまらず引用の後半では梓のケアを「触れ合い」として描いている。毛触りや温もりを感受することが最初の目的だったとしても、梓はフサの全身をくすぐったり念入りに毛をとかしたりして、フサを気持ちよくしようとする。皮膚感覚的な快楽の受動性は積極的な方向に展開している。そしてフサもこうした梓の行為に身をまかせる一方で、梓の動きに合わせて彼女を舐めるのであり、そのなかで「単なる満足感」にとどまらない「鋭い喜び」が生まれるのである。

「人間だった頃は、犬と人間の交わりはごく単純に楽しいものとしか思っていなかったフサは、梓との交わりがこんなにも深まったことに驚いていた」（三四五ページ）というように、ゆるやかな、皮膚感覚的な快楽が備える受動性は、梓の苦難のなかで、積極的な、鋭い快楽へと展開している。両者は協働して一つのパフォーマンスをおこなっているといってもいいほどであり、ダナ・ハラウェイが「伴侶種」を提示した際に挙げた特権的な事例であるアジリティー（飼い主が犬に指示を与えて課題をこなしながらおこなう障害物競走）にもなぞらえることができるだろう。(31)

「甘みの入り交じった疼き」

それではこの「鋭い喜び」は性的欲望とどのような関係を結ぶのだろうか。この挿話のあと、朱尾は梓をフサとともにバーへ招待するが、そこで交わされる会話は、梓がフサをかわいがるスキンシップでフサが性的に興奮しているのではないかというものだった。去勢したとはいえ、自身が気づかない間にフサの性器は勃起していたのであり、「梓に撫でられている時に何度か、甘みの入り交じった疼きが胸から下半身に突き抜けることがあった」（三五〇ページ）ことを思い出す。

朱尾の見解はこうである。「大好きな人間に撫でられる時の牡犬の反応には一口に言えない複合的なものがあるのではないかと考えています。(略)スキンシップの喜びと性的な喜びの境目は、しごく曖昧ではありませんか？　広い意味での性欲を牡犬が人間に対して抱くことが全くないとは限らないのではないでしょうか」(三五〇ページ)。これは房恵との魂の譲渡契約の際に朱尾が投げかけた問いである。このような考えに対し梓は、「スキンシップの喜びと性的な喜びははっきりと違うと思う」とし、犬を撫でるのに性的な意味合いはなく、性行為の代償にもならないとしながらも、『八犬伝』で犬の八房が人間の伏姫と情を交わすのを拒まれて身悶えるのをかわいそうだと感じたという。「共同生活を営んで行くのに差し支えがなければ、飼い犬がわたしに対してそこはかとない性欲を抱いたっていっこうにかまいません」「人間だってしばしばおかしなものにやみがたい愛着を抱くじゃないですか。フィクションの中の人物に真剣に恋したり」(三五一ページ)というのが梓の考えである。

スキンシップの喜びと性的な喜びの境目はないという朱尾と、飼い主の立場からは明確に峻別される(べきだ)が、犬が人間に茫漠とした性欲を抱いてもかまわないという梓。これは、人間と犬のどちらとも距離を置く〈狼〉としてのリアリスト的視点(「私は動物はおろか人間との美しい関係さえ夢見たことはありませんよ」〔一六五ページ〕)と、房恵と異なり犬にはならないとし、動物であれ人間であれ、性的に消費することは拒絶する〈人間〉としての視点との違いだろう。

では、犬になった房恵はこの問題にどのような決着をつけようとしたのだろうか。[32]この二人の会話以来、フサ＝房恵は自分の性器の反応を意識するようになったが、「梓が悲しみを押し殺してフサに優しく微笑む時などに、感動にきゅっと絞られたフサの胸からは喜びと昂奮が噴きこぼれ、鳩尾《みぞおち》を通って下りて行って性器を震わせる」感覚を覚えることもあった。しかしこれは、さらなる刺激によって快感を増進させたいと感じるものではないから、一般的にいう性欲ではないとし、「心の感度や体の感度が高まれば性器の感度も高まって感じやすくなる」(三七七ページ)のだと考える。朱尾はメフィストフェレス然として挑発的に、もしフサ＝房恵が人間のオスだったら、性器が勃起すればメスと性交するのではないか、とフサに問いかけるが、同居人で性欲を感じることがなかった久喜とも「男と女だから当然こういうことをするだろう」と思って性交をしたように、性交と性欲は異なると、フサは結論づけている。ここには松浦が長らく主題としてきた、性的結合とりわけ性器結合に対する懐疑と、多様な性欲やセクシュアリティの導入によるその相対化の試みが表れていると理解できるだろう。

最後の問い

小説の終盤、部屋で梓に身を寄せられ、手を頭に添えられて、「この上なく単純な幸福感」に酔いながら、フサはあらためて性的欲求について思いを致す。

もしかすると親子の間のものであれ友達同士のものであれ人間と愛玩動物の間のものであれ、すべての体の触れ合いの中にはあらかじめ性的な快楽の萌芽があるのかも知れない。逆に、すべての性的快楽は親子の触れ合いの快楽に代表されるような原初的な快楽を基盤として発達したものともいえるだろうか。性的快楽と一般的に性的と見なされない快楽が実は根本のところでは融け合っているのだとしたら、梓と触れ合う喜びの中に性的な要素が含まれているように思えたとしても騒ぎたてるほどのことではないのではないか。

（四三三ページ）

『犬身』は畢竟、異種間のコミュニケーション、とりわけじゃれ合いや愛撫を通じた喜びを与え合うことは何を意味するのか、を問うた作品だといえる。そしてこのコミュニケーションは、人間と動物の間に限定されるものではない。人間同士、しかも親子や友達などの性的快楽を一般に認めない（認めたくない、認めてはいけない……）関係にあっても、「触れ合い」の快楽は原初に存在するのであり、しかもそれはただ身体だけで感じるものではなく、「胸のときめき」という、心と身体の両方の領域を震わせるものなのである。

一方、このスキンシップの喜びと性的な喜びの区別という問題について、なぜ朱尾がこれほどこだわっているのか、フサは疑問に思う。彼自身、性的欲求が全く欠けているのだろうか、あるいは情愛に乏しい、心の不感症なのだろうか。「朱尾はこういう触れ合いの喜びを知らないに違いない、いったい朱尾の覚える最高の喜びはどんなものなんだろう」（四三四ページ）と考えるうちに、梓の家族、そしてフサにも衝撃的な結末が訪れることになる。『犬身』におけるセクシュアリティの省察の最後を飾るのが、フサにとって関心の対象であり続けた狼＝朱尾献という存在への問いかけであることは、「犬尾」という表題を冠した後日談の意味を考えるうえでも重要なことだろう。

おわりに

松浦の小説のなかで目下のところ最長のものである『犬身』は、皮膚感覚的な快楽を一貫して追求してきた松浦文学の作品群の中心に位置づけられる作品である（第1節）。しかし、人間と犬のじゃれ合いを描き、登場「人物」――実際には人間（梓）、房恵＝フサ（犬）、朱尾（狼）――同士の考察が進むなかで、このある種、ゆるやかで穏やかな「性愛」は、「鋭い喜び」「甘みの入り交じった疼き」へと深化していくことになる。それは、まだ性別が定まらない子どものあり方、既存のセクシュアリティへの成熟を拒否するようなあり方であり（第2節）、「胸のときめき」という心も身体も同時に揺り動かされるような経験である（第3節）。それは一般的にいわれる「性的快楽」の萌芽段階にあるものだというのが房恵＝フサの結論だが、それが作品そのものの結論になることはなく、動物を思いやる〈人間〉の立場を貫こうとする梓、そして同じ動物としてヒトと犬の欲動を冷静に見つめる〈狼〉である朱尾の言説によって、相対化され続けるのである。

「犬尾」と題する結末では、命を奪われたフサは朱尾の力で目覚めるが、体はもうない。朱尾が諭した魂の譲渡という条件には従わず、なかったはずの四肢の感覚をありありと感じ、フサは成仏できないまま歩き続ける。あきらめた朱尾はフサをもう一度仔犬にして、幸福な「犬生」を与える。「梓の顔に顕われた愛情が輝きを放つようにして大きく広がった。泣きたいほどの喜びに胸を甘く疼かせながら、朱尾の胸を蹴って梓の胸に飛び込んで行った」（五〇五ページ）という結末は大団円ともいえるし、通俗小説的なハッピーエンドともいえるが、甘い疼きとともに、房恵が梓そして朱尾と結ぶ三角関係が、この物語を動かしてきたことを明かすものともなっている。

実際、この結末は『犬身』の一つの結末、〈フサ〉と梓という犬と人間の関係をめぐる物語の結末にすぎない。その背後には、人間の言語を用いて魂のコミュニケーションをおこなう、〈房恵〉と朱尾という人間と狼人間の関係性が変わらず存在しつづけている。「煩悩の果てをめざす」と朱尾に言い放って歩くフサには、セクシュアリティの探求をやめることがない作者自身の姿が反映しているかのようである。そんなフサとそれに付き添う朱尾の二人の〈人間〉は、二匹の〈獣〉の影を取り戻したかのようである。

朱尾の気配は途絶えなかった。うっとうしくもあったし心強くもあった。きっとわたしたちの後ろには小柄な犬の影と大柄な狼の影が長く伸びているだろう、とフサは想像した。（五〇二ページ）

注

（1）曲亭馬琴『現代語訳　南総里見八犬伝　合本版』白井喬二訳（河出文庫）、河出書房新社、二〇一五年、八八ページ

（2）ヴァージニア・ウルフ『フラッシュ――ある犬の伝記』岩崎雅之訳（ルリユール叢書）、幻戯書房、二〇二一年、

四七ページ

(3) 濱野ちひろ『聖なるズー』(集英社e文庫)、集英社、二〇一九年、二五六ページ

(4) 本章では『犬身』からの引用は次の版からおこない、引用後にページ数だけ示す。松浦理英子『犬身』朝日新聞社、二〇〇七年

(5) 村上克尚『動物の声、他者の声――日本戦後文学の倫理』新曜社、二〇一七年、二四ページ

(6) 武内佳代『クィアする現代日本文学――ケア・動物・語り』青弓社、二〇二三年、二〇〇ページ

(7) ジル・ドゥルーズ/フェリックス・ガタリ『千のプラトー――資本主義と分裂症』中、宇野邦一/小沢秋広/田中敏彦/豊崎光一/宮林寛/守中高明訳(河出文庫)、河出書房新社、二〇一〇年、一六四ページ(原書は一九八〇年)

(8) 『犬身』ではイギー・ポップ「アイ・ウォナ・ビー・ユア・ドッグ」が言及されるが、イギー・ポップとコラボレーションして犬への愛を共有し、自らの作品中でもそれを展開させている人物として、ミシェル・ウエルベックが挙げられる。彼や二十世紀ヨーロッパが生んだ特異な作家ロマン・ガリの作品を貫く動物愛のテーマは、男性性との関連で考察すべきだろう。拙論「母、マジョリティ、減退する性――ロマン・ガリと男性性」、神奈川大学人文学研究所編、熊谷謙介編著『男性性を可視化する――〈男らしさ〉の表象分析』(「神奈川大学人文学研究叢書」第四十四巻)所収、青弓社、二〇二〇年、一九三―二三一ページ

(9) 松浦理英子「犬よ!犬よ!」(一九八五年)『優しい去勢のために』(ちくま文庫)、筑摩書房、一九九七年、三〇ページ。この文庫版の『優しい去勢のために』の著者の写真は、犬とのツーショットになっていることも言い添えたい。

(10) 「優しい去勢のために」同書二六一ページ

(11) 松浦理英子「親指ペニスとは何か」『親指Pの修業時代』下(河出文庫)、河出書房新社、一九九五年、三二九ページ

(12) 松浦理英子『親指Pの修業時代』上(河出文庫)、河出書房新社、一九九五年、一五三ページ

(13) 前掲『親指Pの修業時代』下、一二一ページ

(14) 同書三一九ページ

(15) 松浦理英子／笙野頼子『おカルトお毒味定食』(河出文庫)、河出書房新社、一九九七年、一六七ページ
(16) 松浦理英子『最愛の子ども』文藝春秋、二〇一七年、二九、九八ページ
(17) 同書一四〇ページ
(18) 松浦理英子『ヒカリ文集』講談社、二〇二二年、九一ページ
(19) 同書一九七ページ
(20) 「私は犬を人間化する擬人法は犬への冒瀆なので書けなくて、むしろ人間を犬化する、擬犬法というかたちで『犬身』を書いたんです」(多和田葉子／松浦理英子「動物になること、語りの冒険」「新潮」二〇一一年三月号、新潮社、一六〇―一六一ページ)
(21) 熊に言葉を語らせる『雪の練習生』を上梓した多和田は、梓を慰めるのは言葉だと指摘するのに対して、松浦は房恵の立場だったら「言葉を捨てて犬になってもいい」とし、「犬だったら、吠えたり唸ったり鼻声を出したり、音を出せる。よく作家や詩人がかっこよく「自分は言葉になりたい」と言ったりするけれど、私は言葉じゃなくて単なる音になりたい。そして響いて消えていってしまいたい」(同対談一六五ページ)と述べている。
(22) 内藤千珠子「わたしは犬になり、あなたはわたしになり、わたしに触れる――松浦理英子『犬身』をめぐって」、一柳廣孝／吉田司雄編著『女は変身する』(「ナイトメア叢書」第六巻)所収、青弓社、二〇〇八年、一五二ページ
(23) 内藤のテーゼに対して、武内もまた、ケアされると同時にケアする存在としての犬という観点から、自己投影という説を提示している。前掲『クィアする現代日本文学』二〇五ページ
(24) 辻本千鶴も松浦のジャン・ジュネに対する評言から、『犬身』の主人公も成熟拒否や成熟不能を生きているのだと指摘している。辻本千鶴「松浦理英子『犬身』論――ジュネとガーネットの受容を視座として」、『言語文化論叢』の会編「言語文化論叢」第五号、『言語文化論叢』の会、二〇一一年、五九ページ
(25) Fusako Innami, "The Departing Body: Creation of the Neutral in-between Sensual Bodies," *Asian and African Studies* XV, 3, 2011, pp. 125-127.
(26) 富岡幸一郎「〈畸形〉からのまなざし」、松浦理英子『セバスチャン――初期作品集2』(河出文庫)所収、河出書

房新社、一九九二年、一九三ページ
(27)同書三一、一一九、一二五、一四〇ページ
(28)松浦理英子／濱野ちひろ「動物と人間は愛しあえるか?」「文学界」二〇二〇年六月号、文藝春秋、一五七ページ
(29)前掲『クィアする現代日本文学』二〇四ページ。『犬身』の皮膚感覚的な快楽に関しては、梓が陶芸家という触覚が重視される仕事をしているという設定も見逃すことができないだろう。「手動式のろくろのごとごという音を聞きながら梓の手元を眺めていると、うっとりとした心地になるのだった。(略)見ているだけで土のやわらかさや湿り気や粘り気が前肢の肉球に伝わり、フサの体までぐにゃぐにゃになってしっとりした土に混じりそうに感じられた。(略)たぶん土の感触には、(略)人間も含めた動物を惹き込み我を忘れさせる力があるんだろう」(一八五ページ)
(30)十九世紀末フランスの女性作家ラシルドの『動物女』(一八九三年)では、『犬身』と同様に動物性愛を思わせるような女性と雄猫の愛を描いているが、窮乏に陥った主人を「小さな、引き締まった獣の体」で覆い、「彼女を救うことができないからこそ、そのなめらかな毛並みをした足で抱きしめ、愛しんでくれた」猫の姿を描写している。拙稿「神経文学論(2)——ラシルド『動物女』における「心なき」女と獣なるもの」(神奈川大学人文学会編「人文研究」第二百十号、神奈川大学人文学会、二〇二三年、二六—二七ページ)を参照。
(31)ダナ・ハラウェイ『犬と人が出会うとき——異種協働のポリティクス』高橋さきの訳、青土社、二〇一三年
(32)内藤は次のように三者の見解をまとめている。「性的なものはすべてスキンシップ一般の延長にとらえて何ら問題は感じないという房恵の発想」「スキンシップを含めたすべてに性的な意味を附着させようとする朱尾の視点」「性的なものとスキンシップとを疑いなくきれいに二分する梓の意識」(前掲「わたしは犬になり、あなたはわたしになり、わたしに触れる」一五〇—一五一ページ)

第４章　マルチスピーシーズ・フェアリーテール研究序説

村井まや子

世界各地に伝わるおとぎ話を人間以外の生きものたちの経験によって分類したら、どんな物語世界が立ち現れるだろうか。この世界は人間だけで成り立つものではない以上、ほかの生きものとの関係抜きには物語も成立しえない。その意味でダナ・ハラウェイがいう「複数種の絡まり合い（multispecies entanglements）」は、様々な社会で物語化され、語り継がれてきたと考えられるだろう。[1]私たちがよく知っているつもりのおとぎ話にも、これまでみえていなかった、人間の認識を超えた（more-than-human）ところで繰り広げられる様々な生きものたちの物語が含まれているかもしれない。[2]人間の属性を表すための比喩表現としてだけではなく、人間とは異なる欲求や感覚をもってこの世界に棲まう生きものたちの物語を、人間である私たちはどのようにすれば想像しうるのだろうか。

物語の分類法に着目するのは、物語のように人間が生み出した文化であれ、現実世界に存在する生物や無生物であれ、人間が世界を認識し、そのなかに自らを位置づけるためには分類という行為が必ず伴うと考えられるからである。つまり分類法は私たちが世界をどう理解しているかを反映するとともに、分類法によって私たちの世界認識は規定されているともいえる。だからこそ、人間以外の生きものの視点からおとぎ話を読み直すということの新たな試みのためには、これまで用いられてきた物語の話型分類システムが前提としている人間中心主義的なバイアスの検討から始める必要がある。

本章ではまず、民話やそのほかの伝統的な物語の研究に現在広く用いられている、アンティ・アールネ、スティス・トンプソン、ハンス＝イェルク・ウターによる『国際昔話話型カタログ 分類と文献目録』[3]（通称 Aarne-Thompson-Uther Index. 以下、ATUインデックスと表記）の民話の話型分類システムがもつ人間中心的なバイアスについて分析する。次に、いまある分類システムを用いながら、人間を中心に展開するドラマから複数種の関係性へと焦点を移動することでみえてくる、人間以外の生きものたちの世界の見方を反映した話型分類の新たな枠組みを提案する。最後に、新たな話型分類法に基づく「マルチスピーシーズ・フェアリーテール・ライブラリー」の構想と、それを使ったワークショップの展開の展望について説明し、このプロジェクトを特徴づける理論的フレームワークの構築と、多様な人々とおこなうワークショップとの間のダイナミックな相互作用の重要性を論じる。

世界各地のおとぎ話には異種間のやりとりがよく登場するだけでなく、それがプロットの展開上必要な要素をなしていることもある。そして人間以外の生きものたちは、人間と同じような認識能力や感情や主体性をもった存在として描かれることが多い。その意味で、おとぎ話は人と動物の間の平等な——とはいえ、いつも調和的であるとはかぎらない——関係を描くジャンルだということもできる。多様な文化圏で古くから語り継がれてきた複数種が交じり合う物語の宝庫には、現代社会に生きる私たちが学べることがあるはずだ。

１　ATUインデックスと人間中心的バイアス

ATUインデックスは一九一〇年にフィンランドの民話研究者アンティ・アールネによって、ヨーロッパの民話の話型分類法として構想された。その後アメリカの民話研究者スティス・トンプソンが二八年と六一年の二度にわたってこれを改訂し、ヨーロッパからインドに至る地域の物語を加えるとともに、当時の民話研究の成果を反映させた。二〇〇四年にドイツのハンス＝イェルク・ウターがさらに改訂を加え、当時の歴史的比較研究の最新の成果を取り入れて話型の記述を全面的に書き直すとともに、より広範な地域の類話を加えた。

ATUインデックスは合計二千三百九十九の話型からなり、それらの話型が以下の七つの上位カテゴリーに分けられている。(4)

1、動物物語	1―299
2、魔法物語	300―749
3、宗教的物語	750―849
4、現実的物語（短篇小説）	850―999
5、愚かな鬼（巨人、悪魔）の物語	1000―1199
6、笑い話とジョーク	1200―1999
7、形式譚	2000―2399

この話型分類のシステムによって、民話研究者は各物語の基本構造をなすプロットのパターンを認識し、同じ要素やモチーフを共有する世界各地の類話を見つけ出すことができる。各モチーフには番号が付されていて、ATUインデックスとあわせて民話の分析に用いられる、トンプソンによるモチーフのカタログ『民間文芸のモチーフ・インデックス』[5]と相互参照することが可能である。

ATUインデックスで「動物物語」に分類された二百九十九の話型は、人間以外の動物が主要な役割を担うものである。しかし、二番目の上位カテゴリーの「魔法物語」に分類された物語にも、動物は重要な役割で登場することが多い。「魔法物語」とは何らかの超自然的な要素を含む物語を指し、英語でいう“fairy tale”（おとぎ話）にほぼ相当する。ほかの六つの上位カテゴリーに分類された民話にも超自然的な要素が含まれることもあるが、魔法物語では超自然的な要素が不可欠の条件とされる。

複数種の共生、つまりマルチスピーシーズの視点からみると、動物物語を魔法物語とは別のカテゴリーに区分することには、少なくとも二つの問題がある。一つ目の問題は、動物が主要登場人物である物語を、おとぎ話の標準型と見なされる魔法物語から体系的に除外している点だ。ATUインデックスの創始者であるアールネが動物物語に分類した物語には、魔法物語ではなく主に寓意的に解釈されるイソップ寓話などの動物寓話が多く含まれていることから、このカテゴリーに分類された物語のなかの動物は、動物というよりも人間の属性を表す寓意的な登場人物として解釈される傾向が強い。その一方で、二つ目の問題として、魔法物語に登場する動物は、この分類法では副次的な登場人物と見なされているため、物語のなかで主要な役割を担っている場合でも、人間の主人公の援助者や敵対者といった、単に機能的・周縁的な役割を果たす存在としてしか認識されない傾向がある。しかし、動物が主要な役割を担うこれらの物語を、複数種の関係性を基軸に分類しなおすことで、動物物語と魔法物語に登場する生きものをより自律的で複雑な存在として認識するよう読み手に促すことにつながるのではないか。

こうした問題意識からＡＴＵインデックスの話型の再分類の議論を始める前に、その前提として民話研究での「話型」と「モチーフ」という二つの基本概念を簡単に説明しておく。アメリカの民俗学者アラン・ダンダスによると、話型とは「プロットの概要の複合体」だという。「ある特定のバージョンの民話には言葉のうえで完全に一致することはないが、その民話の現存するすべてのバージョンにある程度共通する性質をもつもの[6]」が存在する。これが話型である。言い換えると、話型とはモチーフの集まりで構成された、繰り返し現れる自立したプロットのことをいう。そして民話研究でのモチーフとは、トンプソンの定義によると、「伝統として受け継がれる力をもった、物語のなかの最も小さな要素[7]」を指す。モチーフになりうるのは、行為、出来事、設定、物、登場人物である。

アールネのインデックスが設定した動物物語というカテゴリーの問題点は、これまでも民話研究者たちによって指摘されてきた。アールネは動物物語を七つのサブカテゴリーに分類している。

1、野生動物
2、野生動物と家畜
3、人間と野生動物
4、家畜
5、鳥
6、魚
7、そのほかの動物と物

カール・ヴィルヘルム・フォン・シドウは「大衆散文文芸の伝統とその分類」（一九四八年）のなかで、アールネによる動物物語の分類には「二つの異なる分類基準が用いられており、それらが互いに矛盾し、混乱を引き起こしている」と批判している。動物物語の最初の四つのカテゴリーは野生動物か家畜かによる分類だが、残りの三つは動物の種類による分類だと、彼は指摘している[8]。この指摘に対してはアールネ自身が、最初の四つのカテゴリーの「動物」とは「哺乳類」を指していると述べたという[9]。フォン・シドウによると、この分類基準の問題点は「物語の行為や構成を考慮していない」ため、「この分類法に厳密に従うとすれば、全く同じ種類の行為の異型が異なるグループに属する[10]」ことだという。さらに、フォン・シドウが指摘する前述の点に加えて、アールネの動物物語の分類法には、哺乳類か否かで区分する哺乳類中心的なバイアスもかかっているといえるだろう。ウターによる二〇〇四年の改訂では「鳥」と「魚」の二つのカテゴリーをなくして最後のカテゴリーである「そのほかの動物と物」にそれらを含めることにしたが、哺乳類か否かによる区分は残されている。こうした区分基準は複数種共生の視点から民話の動物を分類する際に役立つのかは疑問である。これに対し、次節で筆者が提案する分類法は、人間以外の生きものの生態や人と動物の関係に関する近年の研究成果を取り入れた視点から、民話のなかの動物の分類法を根本的に検討しなおそうとするものである。それを実現するには、生物学を含めた様々な研究分野の専門家との協働が必要になるだろう。

フォン・シドウが指摘するアールネによる動物物語の分類法のもう一つの問題点は、アールネの分類では異なるカテゴリーに属する異なる種の動物が等しく主要な役割を果たす場合には、どのカテゴリーに分類するべきなのかという点だ。例えば話型五十七番の「チーズをくわえたカラス」は「野生動物」のカテゴリーに分類されているが、これは登場人物の一人であるキツネが野生の哺乳類であるためだ。しかし、「鳥」のカテゴリーに入るべきカラスは、この話型の見出しにも表れているように、この物語で最も重要な役割を果たす登場人物と見なすこともできる。フォン・シドウが指摘するように、「物語の行為において誰が主要な役割を果たすかという問題は、そう簡単に決められるものではない[11]」。誰を主人公と見なすかというこの問題は、人間が登場する物語にも当てはまる複雑な問題をはらんでいる。ある物語をインデックスのどのカテゴリーに入れるかは、どの登場人物の行為をほかよりも重要だと見なすのかという解釈に関わるといえる。「チーズをくわえたカラス」の場合は、キツネというヨーロッパの伝統のなかで「ずる賢さ」の寓意で頻繁に用いられてきた哺乳類が、哺乳類ではない野生動物であるカラスよりも分類基準では優先されているが、現実世界のカラスはキツネに劣らず知能が高い動物であることが近年の研究で明らかにもなっていて、哺乳類ではないという理由でこの物語の主人公の座をキツネに譲ることには疑問を感じる。

これらの問題を克服するために、フォン・シドウは「動物に関するトリックスターと教訓的な寓話を一つにまとめて、動物寓話として分類[12]」することを提案し、次のように述べる。「ある動物を挿絵で描くときに、人間の服を着せて人間のポーズを取らせるのがふさわしいと思える場合は、ここに分類されるというルールがほぼ成り立つ[13]」。これは興味深い提案で、動物の分類にアールネの分類法とは別種の恣意性をもたらすと考えられる。例えばATUインデックスでは魔法物語に分類されている「赤ずきん」のような物語は、教訓的な寓話として読むことも可能で、オオカミやこの話型に属する話に登場するほかの肉食獣は、人間の服を着て人間のようなポーズを取っている姿で挿絵に描かれることも多い。フォン・シドウは「赤ずきん」のような人間と野生動物の衝突が行為の主軸になる物語を、動物寓話に含めるのだろうか。あるいはアールネのように主人公はあくまでも人間だと考え、魔法物語のカテゴリーに入れたままにするのだろうか。この問題はさておき、動物の分類基準に視覚的な表象の概念を導入する考え方は、後述する複数種を含む物語の分類を考える際に重要になる。

アラン・ダンダスは「モチーフ・インデックスと話型インデックス――批評」（一九九七年）のなかで、これらのインデックスの分類法の問題点をいくつか指摘しているが、なかでも「重複」の問題が「モチーフと話型の両方の概念で起きている[14]」という指摘は、ここで特に重要である。ダンダスは話型の重複の主な原因はアールネの分類法の構想の誤りにあるとしている。

アールネが部分的に登場人物を基準として民話を分類することをあとになって決めたのは、賢明ではなかった。このためにアールネの最初のカテゴリーは動物物語（AT1-299）になった。これらの物語では主要な行為者は動物である。（略）アールネの誤りは、物語をプロットではなく登場人物によって分類したことだ。民話の現実からいえば、例えば同じ物語が動物と人間のいずれを主人公としても語られうる。[15]

ダンダスは、話型インデックスは登場人物が何をするかによって分類されるべきで、彼らが何者であるかによって分類されるべきではないと主張する。なぜなら登場人物の属性は、どの種に属するかも含めて、基本的に置き換えが可能だからだ。したがって、ダンダスは分類の最初のレベルで種を優先すること自体が矛盾だと批判する。しかし、それならなぜ民話の世界では動物がこれほど大きな位置を占めるのだろうか。これらの動物たちはみな人間に置き換えることができるのだろうか。ちなみにフォン・シドウは次のように述べている。「動物は人間の生活のなかで非常に大きな役割を担うので、人間の運命やおこないを記録する物語が、動物に大きな部分を割くのはよくあることだ[16]」

ダンダスが指摘した問題は、関敬吾がATインデックスをもとに日本昔話[17]の話型を分類した『日本昔話集成』（一九五〇年）で、動物物語のカテゴリーはなくさずに、主要な役割を担う動物の種類ではなく行為によって分類することで、すでに解決を試みている。関はまず、アールネが最初に構想した分類法に従って日本昔話を「動物昔話」「本格昔話」「笑話」の三つに大別する。そしてアールネが設定した動物昔話と本格昔話の区別を次のように解釈する。「これらの動物昔話に於ては動物が人間関係として現はれる。人間の生活形態と社会組織とが動物の世界の中に齎らされる。（略）動物昔話の特性は総ての行為する動物が共に喜び、共に悲しみ、常に語り合ふのである。これに反して本格昔話の場合には動物は単なる附属物として、脇役として現はれるに過ぎない[18]」。関は自らの日本昔話の話型分類法における動物昔話の定義を、アールネの分類法にならって、「その対象は獣類、鳥類、若干の爬虫類、昆虫類及び植物である。これらの内容は擬人化された動物の世界[19]」であるとしている。ここで重要なのは、アールネが動物の種類によって動物物語を分類したのに対し、関は動物昔話のサブカテゴリーを「その行為に従って動物相互の葛藤、親和及び由来に総括」した点である。関はこのように動物相互の行為によって動物昔話を以下の十項に分類する。


第一、動物葛藤（一—六）。動物相互の葛藤であり、偽瞞者の敗北を中心としたものである。

第二、動物分配（七—一〇）。拾ひ物または盗品を分配するにあたり、奸智にたけたものが勝利を得る形式。

第三、動物競走（一一—一九）。形態上の強者と弱者との競走を中心モーティフとしたもので、弱者が勝利を得る形式。

第四、動物餅競争（二〇—二四）。拾ひ物分配と競争の二つのモーティフの結合した形式であり、我が国に於ては餅を中心とする争である。

第五、猿蟹合戦（二五—三二）。不遇な同僚に対する同情を契機とする動物相互の葛藤を取り扱ったものである
第六、勝々山（三二Ａ—Ｅ）。こゝでは人間がわき役として登場する。その人間に対する同情から来る動物相互の葛藤譚。

第七、古屋漏（三三Ａ—Ｂ）。これにも人間が登場するが、動物を中心とした争闘である。勝々山及び古屋漏は共に動物葛藤が中心であるが、それぐ独立した形式である。

第八、動物社会（三四—四五）。これまでの型は動物の対立抗争であるが、未だそれまでに至らない親和的なモーティフによって構成された一群の昔話を総括する。これには葛藤にまで発展するが如き型が多いが、明

瞭な形式のものが少い。

第九、小鳥前生（四六―六二）。ある理由によって死んだ人間が、小鳥になったといふ一群の由来談である。[20]

第十、動物由来（六三―八三）。小鳥その他の動植物の生成、形態の理由を物語るものである。

この分類を提示したあとに、関は次のように述べる。「これだけが動物昔話の全部ではない。未だ一つの型をなさず、動物が現はれるがもうすでに動物昔話の形態をもたぬために後篇にゆづり、或は将来の資料の発見によつて決定すべきものを幾つか留保したものもある」[21]。この但し書きは混乱を呼ぶと思われる。関は動物が主要な役割を担う物語を動物昔話と見なしているようだが、その一部は「もうすでに動物昔話の形態をもたぬ」というのは、どのような形態の区分によるのだろうか。関はアールネの分類法に従い、動物物語は単一のモチーフからなる単純な構造をもつ物語だと定義している。[22] しかし関が動物昔話に分類した日本昔話のなかには、二つ以上のモチーフからなる物語が多く含まれている。ではどのような形態をもつ動物昔話が、本格昔話に分類されることになったのか。関は本格昔話の内容とプロットについて次のように述べている。「これら本格昔話の内容は婚姻を目的とした彼岸の世界への旅行である。筋の運びは相互に関係を持つ現世と彼岸との間の緊張からなる」[23]。ここに示されている形態は、日本昔話になじんだ者にとっては意外に思えるのではないだろうか。日本昔話の多くが、この形態に当てはまらないからだ。例えば、五大昔話と呼ばれる「舌切り雀」「花咲か爺さん」「桃太郎」「猿蟹合戦」「かちかち山」のうち、本格昔話に分類される最初の三つの話はいずれも、主人公が「彼岸の世界」あるいは異界へ旅するモチーフを含むが、その旅は「婚姻を目的」とはしておらず、これらの物語のハッピーエンディングは婚姻とは別の調和によってもたらされる。では、関が考える本格昔話の標準的な形態は、いったいどこからきているのだろうか。

おそらく関の頭には、ATインデックスの魔法物語のカテゴリーの最初の物語である「龍を退治する者」

（AT300）があったのではないかと考えられる。この話型はウラディミール・プロップが『民話の形態学』(24)でロシアのおとぎ話のプロトタイプと見なしたものであり、プロップはこの物語がすべてのおとぎ話に共通する深層構造を示していると考えた。マルチスピーシーズの観点からみると、龍退治の物語を民話の分類システムの基準と見なすことは、この物語が示す人間中心主義的バイアスの点で再検討が必要だ。この物語は人間の男性主人公の旅を主軸に展開し、龍は人間によって打ち負かされるべき障害物として描かれる。そして主人公の男性は龍を退治することで、美しいお姫様との結婚という報酬を得る。龍は自然界には存在しない架空の生きものだが、ヘビ、ワニ、トカゲ、鳥など実在する動物が合体したハイブリッドとして描かれる。世界各地の神話や伝説で、龍は自然がもつ力を象徴することが多い。例えば日本の伝統では、龍は自然の要素、特に水に結び付けられてきた。したがって龍は人間にはない能力を備えた動物たちの形態と性質を融合した、自然がもつ力の象徴だといえる。この意味で、龍は人間がコントロールできない野生動物のプロトタイプと見なすことができる。龍退治の物語は、人間と野生動物の闘争を中心に展開し、「龍を退治する者」という話型の見出しに明らかなように、前者が後者を征服することで終わる物語として読むことができる。この話型を「退治される龍」と名付け直したとしても、自然の力を象徴する龍という存在を客体として位置づけるという点を強調するだけだ。マルチスピーシーズの視点から民話を分類するためには、物語と登場人物と行為とモチーフの、より根本的な見直しが必要になる。

龍退治の物語をはじめとする、西洋白人男性を中心とする視点から形成されてきたおとぎ話のカノン（正典）を、人間以外の生きものの経験に着目して組み替えるとき、一九七〇年代以降展開されてきたフェミニズムの視点からおとぎ話を読み替えた一連の批評から学ぶべきことは多い。とりわけ前出のプロップの形態学的モデルおよび話型とモチーフ・インデックスに関するフェミニスト批評は有用である。龍退治の物語がおとぎ話のプロトタイプとして選ばれたこと自体が、このモデルの男性中心主義の表れといえるからだ。龍退治の話では、主人公の男性は冒険に出かけた先で強大な敵を倒し、美しいお姫様を救出して共同体に平和をもたらす能動的な主体として描かれる。それに対し、お姫様は生贄として供されたのちに救出され、報酬として獲得される対象、つまり受動的で静止した客体として機能する。テレサ・デ・ラウレティスの『アリスはしない――フェミニズム・記号論・映画』[25]をはじめとするフェミニスト・ナラトロジー[26]は、龍退治の物語のプロットを推進するのは男性の征服欲であり、自己増大を志向する男性中心主義的な物語の欲望が、「シンデレラ」「白雪姫」「ラプンツェル」「眠れる森の美女」などの女性を主人公とするポピュラーなおとぎ話のプロットをも支配していることを明らかにした。これらの「迫害される無実のヒロイン」のモチーフをもつ物語を、女性を主人公とするおとぎ話の典型と見なす傾向は、クリスティーナ・バッキレガをはじめとする民話研究者らによって、女性主人公の受動性と犠牲者としての位置づけを強調し、「自然化」する、つまり女性をそのように位置づけることを自然なものと見なす女性差別的なバイアスがかかっているとして批判されてきた。[27]これらの批評に加えて、イギリスの作家アンジェラ・カーターによる、女性を中心とする視点から編まれた世界のおとぎ話のアンソロジー『ヴィラーゴおとぎ話集1・2』[28]は、「勇敢で大胆でわがまま」「賢い女性、機知に富む少女、決死の戦略」「既婚女性」といった章タイトルを用いることで、世界各地の物語に登場する多様な女性たちに声を与え、おとぎ話の地図を描き直す分類法を提示している。

関による日本昔話の話型インデックスに戻ると、龍退治の物語を魔法物語の典型と見なすATUインデックスとは異なり、彼は日本の本格昔話の最初の話型に異類婚姻譚を置いている。異性間の婚姻をハッピーエンディングの標準と見なすことは、ジェンダーとセクシュアリティに関する問題に加えて、西洋中心主義の問題もはらんでいる。次節で詳しく述べるように、異類間の婚姻についての日本の物語の多くが、ヨーロッパの異類婚姻譚の代表的な話型と見なされることが多い「美女と野獣」型のパターンとは異なるプロットをもつからだ。しかし、本章ではATUインデックスの魔法物語と同じく、人間が主要な役割を担うとされる日本の本格昔話のなかでの動物の位置づけの問題に焦点を絞って論じる。

関が異類間の婚姻をモチーフとする話型として分類している物語をみてみると、なぜこれらの話が動物昔話と見なされないのかと不思議に思わざるをえない。動物が主要な役割を担う物語という動物昔話の定義に従えば、これらの異類婚姻譚では動物の伴侶が主要な役割を担うのだから、動物昔話に分類されてしかるべきだと考えられる。人間の行為や欲望を優先する物語と定義されている本格昔話のカテゴリーにこれらの話を分類することは、動物の行為者の自主性を無視し、彼らを人間中心のプロットでの従属的な地位に追いやることになるのではないか。さらに、日本昔話の異類婚姻譚に登場する動物の伴侶の多くはもともとは動物であり、人間の姿に一時的に変身したとしても、話の最後にはまた動物に戻り、もとの世界、つまり動物の領域へと帰っていく。これは、人間ではない伴侶が物語の結末で人間に戻るという「美女と野獣」や「カエルの王様」などのヨーロッパの異類婚姻譚とは対照的なプロットといえる。しかし筆者はここで、異類が本来人間であるのかそれ以外の生きものであるのかを基準に、異類婚姻譚を分類するべきだと主張したいのではない。なぜなら、それらの登場人物が一時的に動物の姿をとっているだけだとしても、異類婚姻譚と呼ばれる物語は人間とそれ以外の生きものとの婚姻が主題だと考えられるからだ。筆者がここで提案するのは、世界各地で語り継がれてきた民話を、登場人物たちがそれぞれの幸福を求めてほかの種とどのような関係を結ぶのかを基準に分類することである。その場合、動物たちを完全に擬人化された登場人物と見なしたり、人間を中心に展開するプロットを助ける小道具と見なしたりする読み方をしないことが重要になる。アールネがあとづけで考案したという「動物物語」というカテゴリー自体が、それ以外の物語を「人間物語」、つまり無標の標準的形態――関の言葉によれば「本格昔話」、柳田國男のいうところでは「完形昔話」――と見なす、人間中心主義的思考の表れだといえる。このような分類法の人間中心主義的バイアスを再考し、複数種間の関係に焦点を当てて組み替えるためには、動物とは何者なのか、人間を含むほかの種とどのような関わりを結んでいるのかについての、より根本的な問い直しが必要になる。

2 「マルチスピーシーズ・フェアリーテール」の分類法

ここからは、動物の行為を基準とする関の分類法をもとに、「マルチスピーシーズ物語」という新たなカテゴリーを提案していきたい。マルチスピーシーズ物語とは、異なる種の間の相互関係が、プロットの展開上不可欠である物語を指す。このカテゴリーに含まれる物語はATUインデックスと関のインデックスで動物物語（昔話）に分類された物語だけでなく、先に示したATUインデックスの上位カテゴリー七項目（1、動物物語 2、魔法物語 3、宗教的物語 4、現実的物語 5、愚かな鬼の物語 6、笑い話とジョーク 7、形式譚）に分類された物語すべてにおよぶ。また、イソップ寓話のように動物寓話として通常は寓意的に解釈される種類の物語であっても、それらの物語が寓話的ではない読み方、つまり動物を動物として見なす読み方を完全に妨げない場合は、ここに含むことにする。分類にあたっては、人間の行為を優先せず、物語展開上の重要性の点からほかの生きものの行為も人間の行為と同等に考慮する。インデックスに含まれる既存の話型すべてのなかから、マルチスピーシーズ物語に該当するものを抽出して再分類することの目的は、これまでの民話研究で収集され分類されてきた膨大な民話のコーパスを、異種間の相互関係と複数種の絡まり合いという新たな視点から読み直し、そこから立ち上がる物語世界の構造を話型の分類によって示すことにある。

マルチスピーシーズ物語は以下の六つのサブカテゴリーに分類する。

1、異種間の共感

「舌切り雀」などが含まれる。この民話はATUインデックスでは魔法物語に分類され、「親切な少女と不親切な少女」という見出しの話型ATU 480に分類されている。この見出しから明らかなように、ATUインデックスでは「舌切り雀」は人間の行為を中心に展開する物語として解釈されているが、この話はタイトルにあるスズメと人間の関係にフォーカスして読むこともできる。「花咲か爺さん」も同じATU 480に分類されているが、この話も同様に犬と人間の相互の共感を中心に展開する物語として読むこともできる。

2、異種間の葛藤

ATUインデックスで魔法物語に分類されている「赤ずきん」（ATU 333）や、動物物語のATU 9「不公平なパートナー」に分類されている「猿蟹合戦」が、ここに含まれる。

3、異種間の協力

ATUインデックスで動物物語に分類されている「ブレーメンの音楽隊」（ATU 130）や、形式譚に分類されている「大きなカブ」（ATU 2044）が、ここに含まれる。

4、異種への変身

異種間の婚姻を伴うこともあるが、変身にフォーカスを当てている物語、例えばATUインデックスで魔法物語に分類されているグリム童話の「兄と妹」（ATU 450）や、関が動物昔話のなかの小鳥前生に分類している「馬追鳥」（話型52）などが、ここに含まれる。

5、異種間の婚姻

異種への変身を伴うこともあるが、異種間の婚姻またはその結果生まれた子孫にフォーカスを当てている物語、例えばATUインデックスで魔法物語に分類されている「美女と野獣」（ATU 425C）や、関のインデックスの本格物語のなかの「婚姻・美女と野獣」のサブカテゴリーに分類されている「犬婿入」（話型106）などが、ここに含まれる。

6、複数種の社会

複数種の動物が前述の五項目のいずれにも至らない中立的な関係にある物語。このカテゴリーについては具体例を含め、以下で詳しく論じる。

個々の登場人物の行為やその幸不幸ではなく、社会全体の危機の際にその社会がどのように機能し、それを乗り越えるかに重点を置く物語を指す。まず思い浮かぶのは、アフリカで広く語られている魔法の木の話である。その木の下で誰かが木の名前を呼ぶと、どんなに厳しい渇水の最中であっても、おいしい果実をたわわに実らせてくれるという。この話の類話はアフリカ各地に伝わっていて、魔法の木の名前と登場する動物の種類には土地によって様々なバリエーションがある。そのうちの一つ、ガボンに伝わる「魔法のボジャビの木」では、大蛇に守られた魔法の木には「とびきり甘いマンゴーの香りを放ち、メロンのようにまん丸で、ザクロのように果汁がたっぷりの、赤く熟した果物がすずなりになっている」[29]という。水不足による飢饉でお腹をすかせたゾウ、キリン、シマウマ、サル、カメの五匹は、グループの代表が順番に魔法の木の果実を採りに出かけ、遠く離れた草原に住むジャングルの王者ライオンからこの木の名前を聞き出すのだが、誰もその名前を正しく覚えることができず、手ぶらで戻ってくる。しかし最後に出かける小さくてのろまなカメが木の名前を正しく覚えることに成功し、動物たちはみな命拾いをする。

動物たちが魔法の木の名前を繰り返し言い間違えるノンセンス詩のような楽しさ――「ボンガニ」「ムンジャニ」「ウンファニ」など――がこの話の魅力だが、遅くとも着実に歩むことの美徳を説く寓話として解釈されることが多いようだ。しかしこの物語は、複数種の構成員からなる社会が、どのようにして渇水という共通の困難を乗り越えるかに物語の重点が置かれていると解釈することもできる。異種間の協力の物語として分類することもできそうだが、この話は動物たちが互いに協力する様子を特に強調しているとはいえない。動物たちはみなそうすることが当然のように一人きりで旅に出かけ、ほかの動物たちと一緒に物事を成し遂げたり、そうすることで絆を強めたりする様子はみられない。さらに、この話の主人公と見なすこともできる小さなカメの苦難と成功に焦点が当てられるわけでもない。この物語の主題はそのいずれでもなく、運命をともにするコミュニティの生存が焦点となっているように思われる。重要なのは、この物語には排除されるべき悪者がいないことだ。ボジャビの木に巻き付いている大蛇にしても、「龍退治」の話の龍のような完全な悪の存在ではない。渇水を引き起こしたのは大蛇ではないようだし、大蛇自身も動物の社会のルールに従っていて、魔法の木の名前を呼ぶと、さっさと木から降りて立ち去っている。

ウクライナの民話「てぶくろ」も、複数種の社会のカテゴリーに属すると考えられる。この話には複数のバージョンがあるが、共通するのは以下のような筋だ。ある人物が雪の降る日に森で手袋を片方落とす。様々な動物たちが次々とその手袋のなかに入り、暖をとる。やってくる動物はだんだん大きくなり、最後には手袋がいっぱいになり、すべての動物を外に放り出す。手袋の主が戻ってきて、手袋を拾い上げて立ち去る。この話はウクライナ民話として国外でも広く知られていて、日本でも一九六五年に日本語で絵本が出版されて以来、広く親しまれている。この話は一見すると異種間の共感の物語に分類できるように思えるかもしれないが、よく読むと重点が置かれているのは、寒さのなかで動物たちが互いを思いやる共感というよりは、人間が意図せず落とした手袋という有用な資源をたまたま見つけた者たちが、それを共有することだといえそうだ。新しくやってきた動物は手袋に入る前に必ず、すでになかにいる動物たちに自分も入ってもいいか尋ねるのだが、なかの動物たちはしだいに渋るようになる。「まあ　よいでしょう」「ちょっと　むりじゃないですか」「とんでもない。まんいんです」「しかたがない。でも、ほんの　はじっこにしてくださいよ(30)」といった具合だ。共通の資源をめぐって対立するまでには至らないが、かといって共感しあったり協力関係をつくったりする方向に向かうのでもなく、一時的に同じ場所に居合わせた者たちが「しかたなく」互いを許容する様子を描いている。

「てぶくろ」はいうまでもなく虚構の物語であり、現実にはネズミはまだしもウサギやオオカミやクマまでももぐり込めるほど伸縮性がある手袋などないわけだが、霊長類学者の山極寿一のアフリカでのフィールドワークの手記『野生のゴリラと再会する』には、この民話を想起させるエピソードが出てくる。アフリカの高山でマウンテンゴリラの群れを観察していたら、ある日、急な雨に見舞われ、山極はゴリラたちと同じようにハゲニアの大木の洞のなかでしばし雨宿りをすることになった。山極が入った洞はちょうど人ひとりが入れる大きさだったが、タイタスと名付けた六歳のオスのゴリラが山極と同じ洞に強引にもぐり込んできた。タイタスは仰向けに横たわっていた山極の上に覆いかぶさる形になり、下になった山極はゴリラの重さで眠るどころではなかったが、タイタスは山極の肩にあごをのせて安心した様子で寝息を立て始め、雨がやむまでの二時間あまりを二人だけで過ごしたという。[31]「てぶくろ」ではあくまでファンタジーとして描かれた複数種の「しかたがない」状況下の共存関係は、思いがけない事態に遭遇した生きものたちが、種の区別なく限られた資源を共有して生き抜く現実の一つのあり方を、物語の形で伝えているといえるだろう。

3 マルチスピーシーズ・フェアリーテール・ライブラリー

前節で提案したマルチスピーシーズ・フェアリーテールの分類法はまだ萌芽的な仮の構想であり、分類法として練り上げていくには、多様な視点をもつ人々との協働を通して分類を検討する必要がある。そのために、これらのカテゴリーに入る民話をもとにした絵本を集めたライブラリーを構築することを考えている。先に述べたように、フォン・シドウは動物物語の分類判定の一つの基準として、物語に登場する動物を視覚的に表す場合の擬人化のされ方を挙げていたが、文字と視覚的なイメージを統合した絵本というメディアは、動物とその生に対する私たちの考え方を、言葉だけでは表せない形で顕在化することができる。絵本の文字と絵による複層的な語りによって、これまで意識していなかった動物に対する先入観を見つめ直し、問い直すきっかけにもできるだろう。「赤ずきん」の絵本の挿画のオオカミの描き方を論じた拙論[32]で述べたとおり、おとぎ話に登場する動物の視覚的な擬人化のしかた――二足歩行、衣服の着用、人間の表情やしぐさ――には、人間と動物の関係をめぐる社会的・文化的な前提が反映される。その一方で、教訓的な物語のなかで伝統的に寓意化されてきたキツネやオオカミなどの動物たちが、絵本の挿画によってその動物性を取り戻す場合もあるだろう。

さらに、このライブラリーのために絵本を選び始めて気づいたのだが、先住民族の物語のようにこれまで周縁的と見なされることが多かった文化圏の物語が、この新たなおとぎ話の分類法では大きな位置を占めることになる。これは多くの先住民族の社会で動物と人間の関係がより密接に絡まり合っていること、そして異種間の相互関係と変身に関わる魔法あるいは超自然的な力の概念が、より工業化が進んだ社会とは異なる意味をもつことによると考えられるが、この点は今後綿密な調査が必要になる。

この分類法を通してみえてきたもう一つの重要な点は、形式譚と呼ばれるATUインデックスの最後のカテゴリーに分類される物語が、マルチスピーシーズ・フェアリーテール・ライブラリーのなかではより重要な地位を占めることだ。民話研究の分野で形式譚はほかのカテゴリーに比べて注意を向けられることが少ないように思える。その理由としては、形式譚が単一のモチーフの繰り返しからなる単純な構造をしていることと、遊びの要素が大きいことが考えられる。ところが絵本というフォーマットと形式譚は相性がいいらしく、(33) ページをめくるごとに、大きかったり小さかったりする動物が一匹ずつ加わり、予想していたにもかかわらずそのたびに驚かされることになる。そして一匹加わるたびに、前のページよりもほんの少し、世界に多様性がもたらされるのだ。

これからの計画としては、マルチスピーシーズ・フェアリーテール・ライブラリーを用いて分類法の概念を検討する展示とワークショップを開き、様々な分野の専門家たち、多様な文化的・社会的背景をもつ人々、そして子どもを含め異なる世代に属する人々と語り合うことを通して、おとぎ話が織りなす複数種の絡まり合いを読み解いていく予定である。つまりこのプロジェクトは、マルチスピーシーズ物語の選定と分類、そして構築中の分類法を用いて物語を分析するワークショップの実施という、相互に影響しあう二つの部分からなる。マルチスピーシーズ物語の分類法はまた、現実の世界でいま起きている環境の変化と結び付いているため、有機的に変化し続ける終わりのないプロジェクトでもある。

このようにおとぎ話の分類をマルチスピーシーズ研究の視点から再編していく過程を通して、新しい物語世界の光景が次第にみえてくるだろう。そこではあまたの種がそれぞれの方法でこの世界に棲まい、ときには助け合い、ときには対立し、ときには互いのじゃまにならないよう気を配りながら、それぞれの形の幸せを追い求めているだろう。このようなマルチスピーシーズ・ナラトロジーの実践は、人間以外の生きものたちと共生する新しい社会のあり方を思い描くのに役立つとともに、人々が幸せな未来を求めて育んできた物語の多様な伝統から、新たな喜びを汲み出すことを可能にする。

注

（1）Donna J. Haraway, *When Species Meet*, University of Minnesota Press, 2007.

（2）David Abram, *The Spell of the Sensuous: Perception and Language in a More-Than-Human World*. New York: Pantheon, 1996.

（3）Hans-Jörg Uther, *The Types of International Folktales: A Classification and Bibliography Based on the System of Antti Aarne and Stith Thompson*. 3 vols. FF Communications No. 284. Suomalainen Tiedeakatemia, Academia Scientiarum Fennica, 2004.

（4）以下、英語の文献からの引用の和訳はすべて筆者による。

（5）Stith Thompson, *Motif-Index of Folk-Literature: A Classification of Narrative Elements in Folktales, Ballads, Myths, Fables, Mediaeval Romances, Exempla, Fabliaux, Jest-Books, and Local Legends*, Indiana University Press, [1946] 1955-1958.

（６）Alan Dundes, "The Motif-Index and the Tale Type Index: A Critique," *Journal of Folklore Research*, 34.3, 1997, p. 196. 強調は原文。

（７）Thompson, *The Folktale*, Dryden Press, 1946, p. 415.

（８）Carl Wilhelm von Sydow, "Popular Prose Traditions and their Classification," in ed., Carl Wilhelm von Sydow, *Selected Papers on Folklore*, Arno Press, 1977, p. 130.

（９）*Ibid.*, p. 131.

（10）*Ibid.*, p. 131.

（11）*Ibid.*, p. 133.

（12）*Ibid.*, p. 143.

（13）*Ibid.*, p. 135.

（14）Dundes, *op. cit.*, pp. 196-197. 強調は原文。

（15）*Ibid.*, p. 197.

（16）Sydow, *op. cit.*, pp. 133-134.

（17）本章では folktale の訳語として「民話」を用いるが、関の分類法について論じる際には、必要に応じて関が用いた「昔話」という訳語を用いる。いずれの場合も、本章が分析対象とする物語はＡＴＵインデックスの原文の英語が指す folktale である。

（18）関敬吾『日本昔話集成 第一部 動物昔話』角川書店、一九五〇年、五五ページ

（19）同書五八ページ

（20）同書五九ページ

（21）同書五九―六〇ページ

（22）関敬吾『日本昔話集成 第二部 本格昔話１』角川書店、一九五三年、五ページ

（23）同書五ページ

(24) Vladimir Propp, *Morphology of the Folktale*, 2nd ed., Translated by Lawrence Scott, University of Texas Press, 1968.
(25) Teresa De Lauretis, *Alice Doesn't: Feminism, Semiotics, Cinema*, Indiana University Press, 1984.
(26) フェミニズムの視点からナラトロジーの理論を批判的に再考する企てが、欧米を中心に一九八〇年代以降に展開されてきた。本章の筆者は特に「物語の欲望」という概念に着目し、フロイトの精神分析理論と組み合わせた視点から、おとぎ話の構造分析の手法そのものがはらむ女性の抑圧について研究を重ねてきた。
(27) Cristina Bacchilega, "An Introduction to the 'Innocent Persecuted Heroine' Fairy Tale," *Western Folklore*. 52.1, 1993.
(28) Angela Carter, *The Virago Book of Fairy Tales*, Virago, 1990, *The Second Virago Book of Fairy Tales*, Virago, 1992.
(29) Diane Hofmeyr, Illustrated by Piet Grobler, *The Magic Bojabi Tree*, Frances Lincoln Children's Books, 2013, n.p.
(30) エウゲーニー・M・ラチョフ絵『てぶくろ――ウクライナ民話』うちだりさこ訳（世界傑作絵本シリーズ）、福音館書店、一九六五年、一一―一五ページ
(31) 山極寿一『野生のゴリラと再会する――二十六年前のわたしを覚えていたタイタスの物語』くもん出版、二〇一二年、五九―六一ページ
(32) Mayako Murai, "Entangled Paths: Post-Anthropocentric Picturebook Retellings of 'Little Red Riding Hood,'" *Green Letters*, 25.2, 2021.
(33) 形式譚と絵本という表現形式の本質的な関係については、矢野智司／佐々木美砂『絵本のなかの動物はなぜ一列に歩いているのか　空間の絵本学』（勁草書房、二〇二三年）を参照。

［付記］本研究はＪＳＰＳ科研費JP20K00138の助成を受けた。また、本章は *Synthesis: An Anglophone Journal of Comparative Literary Studies* 15 (2023)に掲載された拙論 "Making a Multispecies Fairy-Tale Library" に加筆・修正を加えたものである。

第2部　多様な種の文化表象へ

第5章　銃を持つダイアナ
——二十世紀転換期アメリカにおける狩猟とジェンダーをめぐる言説

信岡朝子

1　狩猟する女性の「発見」

二〇二三年六月、オンライン科学雑誌 *PLoS ONE* に、「男性狩猟者の神話」と題する一本の論文[1]が掲載された。従来、狩猟採集集団で男性は狩りをし、女性は食料となる植物などを採集したというのが、人類学の定説だった。しかしこの見解を覆す考古学的証左[2]が近年増加したことを受け、この論文では、過去百年ほどで蓄積された世界各地の狩猟採集民に関する民族誌をデータベースを用いて調査し、それによって、少なからぬ集団で女性が獲物を狙って意図的に狩猟をおこなっていたと明らかにした。[3]確実な「物証」の不足などもあって、従来の研究では、狩猟・採集における性的分業が、完新世中期以降にどのように発現したか（あるいはしなかったか）については、明確な結論は得られていなかった。しかしアビゲイル・アンダーソンらによるこの論文の発表で、考えられていたよりも現代に近い時期に、また世界の多様な地域で、女性が狩猟者として大きな役割を担ってきた可能性が強く示唆されたのである。

驚くべきは、論文が公開された六月二十八日以降、この研究が世界の主要メディアにこぞって取り上げられたことである。「ニューヨークタイムズ」紙や、CNN Wire を含む国内外のニュースサイト、日本の「朝日新聞」に至るまで、公開からわずか数週の間に論文の概要が紹介され、話題を呼んだ。いわゆる男性狩猟者説（Man the hunter theory）は、『狩猟者としての男性』[4]（一九六八年）や『採集者としての女性』[5]（一九八三年）といった人類学の主要著書の影響で定説化したといわれる。特にこの説は、あらゆる社会で「男性優位の普遍性」が認められる傾向を裏付ける有力な根拠として長年機能してきた。[6]そのため一九七〇年代以降のフェミニズム運動の興隆を背景に、この説は様々な批判にも晒された。ただしフェミニズム人類学的な批判のなかでは、分業する男女間の優劣や採集の重要性などについては再考されたものの、性差に基づく狩猟と採集の分業自体を疑う意見はあまりなかった。[7]

一九九〇年代以降には、男女差は遺伝的に決定しているという説の根拠として、「原始時代に男は狩人であり、女は男が肉を持ち帰るのを炉端で待っていた。それゆえ男は力の強さや攻撃性を進化によって獲得し、女は炉端でお喋りしていたので言語能力が発達した[8]」といった考え方が、一般大衆の間にも広く普及した。こうした経緯から前述のアンダーソンらによる論文は、長年くすぶってきた男性狩猟者説への疑念を裏付ける決定的成果として、「男性が狩猟者、女性が採集者という神話を打ち砕く[9]」などといった印象的なヘッドラインのもと、多くのメディアで取り上げられたのである。

女性が太古から、特に大型哺乳類を獲物とする狩猟に意図的に関わってきたという人類学的「発見」が、現代社会でこれほどのセンセーションを巻き起こしたことは、狩猟という行為がいかに「文化的に承認される男らしさを定義するうえで重要な象徴的役割を果たしてきた[10]」のかを物語っているともいえよう。本章で論じる十九―二十世紀転換期のアメリカ合衆国でも、狩猟はそうした象徴として重要な役割を果たしていた。このころの北アメリカでは、都市化で失われたと考えられた男性性を回復する手段として、アングロ・サクソン系を中心とするエリート層の間で狩猟が大流行した。ただし、当時の狩猟の文化的意味づけは、社会ダーウィニズムや、そこから派生した人種、階級、ジェンダーをめぐる同時代の諸思想の影響下で、多くの矛盾をはらんでいた。加えてこの時期に醸成された狩猟への認識は、現代の狩猟に対する考え方にも色濃く影を落としている。

そもそも狩猟者としての男性というイメージは、古くは古代ギリシャの英雄叙事詩、あるいはイギリスの詩人ジョン・ダンをはじめとするルネサンス期以降の西洋文学全般で、恋愛や性的欲望、あるいは戦争などを表す文学的メタファーとして機能してきた。(11) そうした比喩やイメージを通じて半ばクリシェと化した狩猟をめぐる西洋的想像力が、人類学や歴史学などの学問領域にも入り込み、男性狩猟者説を一種の普遍的真理として扱うようになったのかもしれない。特に十九―二十世紀転換期の英米を研究する歴史家の多くは、狩猟をもっぱら男性的行為として位置づけてきた。しかし近年の研究から、この時代には男性とともに、多くの女性が狩りをしていたことが明らかになっている。(12)

とはいえこれまでの研究が示すように、金ぴか時代やプログレッシヴ・エラと呼ばれるこの時代に、狩猟の流行を含むアメリカ社会全体の動向が、白人エリート男性の男性性を回復させるという欲望に突き動かされていたことは確かである。そうした風潮のなかで同時代の女性ハンターたちは、どのような自己認識のもと、どのような欲求や価値判断に基づいて狩猟に臨んでいたのだろうか。本章では、男性性をキーワードとする当時の狩猟が担った象徴的役割を概観し、そのうえで、狩猟にまつわる同時代のイデオロギー体系に女性ハンターがどのように取り込まれ、また位置づけられていったのかについて、狩猟記を含む当時の文献をもとに検証する。(13)

2　アメリカの祖先としてのハンター

第二十六代アメリカ合衆国大統領セオドア・ルーズベルトは、「十九世紀から二十世紀初頭にかけての、最も重要な狩猟者兼政治家であり自然保護論者」だったといわれる。ルーズベルトの自然への愛は幼少期から発現し、九歳で「昆虫の博物誌（Natural History of Insects）」をまとめ、寝室には多くの博物学的標本が集められた。長じてハーバード大学に進学したルーズベルトは、一度はジョン・J・オーデュボンのような博物学者を志すが、学術の世界で論じられる自然の無味乾燥さに嫌気がさし、その野望は手放すことになる。しかし彼の自然への愛はその後も冷めることはなく、若いときからいわゆるスポーツ・ハンティングにいそしみ、一八八七年には、尊敬してやまない二人の開拓者、ダニエル・ブーンとデイヴィー・クロケットの名を冠した狩猟者団体ブーン・アンド・クロケット・クラブの創設に携わった[14]。

そのルーズベルトが政治家として現役だった十九世紀末のアメリカは、いわゆる自然回帰運動（Back-to-Nature movement）のただなかにあった。この時代に現れるようになった自然愛好家という存在は、十九世紀以降の都市化の進展なくして語れない。当時の都市住民は、都会に付きものの人口集密や貧困、犯罪、疾病の増加、また石炭の煙などの環境汚染に悩まされながらも、かつてのような田舎での農民暮らしに戻ろうとは考えなかった。かわりに郊外に住み、サマーキャンプに行き、国立公園で景色を楽しみ、登山やハイキング、サイクリングや陸上競技にゴルフ、そして釣りや狩猟にいそしんだ[15]。このようにあくまで都市生活者として野外でのレジャーを一時的に楽しむ行為が習慣となるなか、とりわけ狩猟は、都市の中産階級以上の白人エリートたちにとって、ある特別な意味をもつようになっていく。

その背景にあるのは、当時提唱された「人種の自滅（race suicide）」という学説が引き起こしたある種の危機意識だった。一八七〇年代以降、中欧・南欧から合衆国に大量に押し寄せた移民は、低賃金で働き、高い出生率を誇ったが、都市部に住むアングロ・サクソン系の中産階級以上の層は、反対に出生率低下の様相を示しつつあった。(16) ゲイル・ベーダーマンいわく、人種の自滅という概念は当時のより広範な風潮、すなわち過剰な文明化や人種的衰退への懸念と密接に結び付いていた。当時の白人エリートたちは、自分たちは生来の生物学的・人種的優秀さによって歴史の過程で種族間・人種間闘争を勝ち残り、その結果、「卓越した人種（the Superior Race）」として今日の社会的成功を得ていると考えていた。しかし、その彼らの人種的優秀さの証しになる資質、すなわち自制心や慎重さ、情欲を制御する力が過剰になることで、原初的な活力に満ちた移民や下層階級の人々との人種間競争に敗北するかもしれないと懸念を抱くようになったのである。(17) ベーダーマンは十九世紀以降の辞書で男らしさを意味する語の定義がどう変遷したかなどを分析することで、当時の「男らしさ」という概念には二つの系統、すなわち manliness と masculinity が存在していたと指摘する。十九世紀ヴィクトリア朝時代には、manliness は、中産階級以上の男性だけが有する資質、すなわち名誉欲や自己抑制などの道徳的特質を表す語として使用された。manliness という語が「文明」を暗示したのに対し、masculinity は生物の「雄」全般に共通の性質を指す用語として使われた。しかし一八九〇年代ごろから masculinity は、男性の攻撃性、身体的力強さ、性的衝動などを肯定的に表す語として定着していく。(18)

こうした背景のもとで狩猟という行為は、ヴィクトリア朝的な manliness を獲得したアメリカの白人エリート男性が、過剰に抑制された白人男性本来の masculinity を回復させるための有効な手段として位置づけられた。多様な野外活動のなかでも狩猟が特別な意味をもったのは、当時の社会進化論的な歴史観の影響によるところが大きい。入植以来、アングロ・アメリカンにとって「模範的アメリカ人」とは長きにわたり農民だった。農耕を狩猟よりも高次の文明と位置づけた白人入植者は狩猟先住民をさげすみ、彼らが狩り場とする土地を奪って自分たちが作物を育てることを正当化した。ところがこの歴史観は、十九世紀半ばまでに「ハンターこそが土着のアメリカ人であろうとしてきた」という新たな歴史観へと置き換わる[19]。現在でも「アメリカ人はフロンティアの産物であり、未開拓地のハンターがアメリカのヒーローとして姿を現した[20]」という歴史認識はある種の一般論として信じられているが、十九世紀になって顕在化したこの歴史観は、ダニエル・J・ハーマンいわく、現実から乖離した大衆的イメージにすぎない。

独立戦争期から南北戦争後にかけて、狩猟は、アメリカの文化的起源であるイギリスとは異なる、独自のアメリカらしさを象徴する活動として機能しはじめた[21]。前述のルーズベルトも、狩猟こそアメリカ（人）らしさ（Americanness）の根源と考えた一人だった[22]。以下の発言にもそのことがよく表れている。

> インディアンとの戦争、そしてイギリスとスペインの国境問題をめぐるいさかいは、明確な結論をみることはなかった。しかし、北西部領土に自分たちの小共和国を創設したライフル銃を携えた自由民は、個人の自由と国家の統一を結び付けるという問題を徐々に解決へと導いていった[23]。

このようにルーズベルトも、同時代人たちと同様に、北米先住民との戦いに勝利した「ライフル銃を携えた自由民」をアメリカの祖先として思い描き、自らもシカ革のズボンとモカシン[24]を身に着け、頑強な体に長い銃を抱えたハンター・ヒーローとしての自己像（図1[25]）を演出した[26]。一般の白人ハンターも、文化的出自としてのイギリスを理念のうえでは切り離し、自身を北アメリカ大陸の「土着民」と見なした。彼らは北アメリカ大陸の先住民文化を継承したうえで刷新する「新しい人種（a brand new race）[27]」という自己イメージを抱くようになったのである。

このように様々な点で「白人ハンターはアメリカ・インディアンにとてもよく似ていた[28]」のだが、このことが、のちにある問題を引き起こす。前述のように、初期のアングロ・サクソン系入植者は、狩猟を営む先住民を農耕を営む文明人（＝西洋人）よりも下位の存在と位置づけ、彼らからの土地略取を正当化していた。つまり農耕を文明の象徴、狩猟を未開人の行為と見なしたのだが、十九世紀に白人エリートの間で狩猟が流行すると、そのせいでアングロ・サクソン人が野蛮な先住民の段階へと文明の階層を後退するのではないかという懸念が生まれる

図1　ハンター・ヒーローとしてのセオドア・ルーズベルト
（出典：Theodore Roosevelt, *Hunting the Grisly and Other Sketches*〔The Works of Theodore Roosevelt, Vol.3〕, P. F. Collier & Son, 1893. 口絵）

ことになったのである。

3 文明的な狩猟の創造

したがって、十九世紀後半にアメリカ中産階級層にもてはやされた狩猟は、先住民らによる狩猟とは全く異なる活動として明確に区別されなくてはならなかった。そのために整備されたのがスポーツ・ハンティングというカテゴリーである。そもそも入植期の北アメリカでの狩猟は、イギリス貴族の伝統を受け継ぐスポーツへの憧れから始まった部分があった。そのため十九世紀後半にスポーツ・ハンティングが流行したときも、ヨーロッパ的な狩猟観を受け継ぐ紳士のスポーツとしての側面が強調された。さらに、スポーツ・ハンティングをそうではない狩猟、すなわち商業的狩猟や食料獲得のための狩猟と区別し、後者を不適切な狩猟としてスティグマ化することで、スポーツ・ハンティングを「正しい狩猟」として位置づける戦略がとられた[29]。そのために利用されたのが、あの manliness の概念である。

原野での大型動物の狩りは、何より血気盛んで風格ある人物にふさわしいスポーツである。ライフル銃を携えたハンターは、徒歩でいこうと馬に乗ろうと、カヌーや犬橇で移動しようと、健全な肉体と強靭な精神を有し、活力にあふれ、決断力や男らしさ（manliness）、独立独行の気概、何事も耐え抜く自助能力を持ち合わせていなくてはならない[30]。

これは、ブーン・アンド・クロケット・クラブの創設者であるルーズベルトとジョージ・B・グリネルが、一八九三年に公表した同クラブの運営方針の一節である。このようにスポーツ・ハンターは、紳士としての落ち着きとともに開拓者である祖先の男らしい（masculine）要素を受け継ぎ、身体的頑強さや活力に加え、自助能力や決断力、勇敢さといった男性らしさ（manliness）の資質を有していなくてはならない。この manliness は自己の性欲や衝動をコントロールし、弱きものを助ける性質も意味する。[31] したがってスポーツ・ハンターが原生自然のなかで狩るべき獲物は、バッファローやグリズリーなどの大型動物に限られる。例えば、弱小な共同体を容赦なく殲滅する好戦的な先住民は、「弱きものを攻撃する」[32] 人種の典型だが、彼らの狩猟は、雌鹿や若い鹿などの弱きものを狩る「男らしくない（unmanly）」狩猟である。鳴禽を狩るイタリア系移民の狩猟も同様である。さらに「商業狩猟は欲に駆られ、通年狩猟は無駄が多い[33]」ので望ましくないとされた。食料のために狩る人々は腹を満たしたいだけで、「スポーツの美学を堪能したり、獲物がフェアな環境で逃げられるようにルールを設定したりしない」。スポーツ・ハンターも獲物を食すことはあるが、自身の勇敢さや身体的能力、技能を十分に試す目的で大型動物を追いかけるのであり、その結果獲得された野生動物を無駄にしないために食べるだけなのである。[34]

とはいえ前述のダニエル・J・ハーマンがいうように、「鹿や雷鳥が、食料のために狩るハンターより、真のスポーツ・ハンターに殺されたがっているとは到底思えない[35]」のだが、当時のスポーツ・ハンターたちにとってはその区別こそが重要であり、必然的なことだった。そのためにスポーツ・ハンターらが熱心に取り組んだのが、狩猟許可証の発行や、猟期や狩り場の限定、特定の狩猟法の禁止といった、ハンティングをめぐる複雑なルールの制定である。これらのルールは、当時すでに顕在化していた野生動物の減少に歯止めをかけるための施策ではあったが、同時に、スポーツ・ハンターらが定めたルールに従わないハンターを「狡猾で無法なおこない[36]」をする者として抑圧し、排除する目的ももっていた。またスポーツ・ハンターの側も自分たちが作ったルールを積極的に守ることで、manliness の重要な資質の一つである「自制（self-mastery）」をアピールできた。[37]

加えて、スポーツ・ハンティングを「野蛮な狩猟」から区別するもう一つの指標が、科学への貢献という名目だった。ルーズベルトがわずか九歳で「昆虫の博物誌」をまとめたというエピソードは、彼の自伝中でも有名なものだが、こうした逸話を通じてルーズベルトは、生来の博物学者というイメージを読者に強く印象づけた。彼の父はニューヨーク市アメリカ自然史博物館の創設に尽力したことで知られていたこともあり、その息子であるルーズベルトがまとめた狩猟三部作[38]は、「科学的記述に期待される客観性[39]」を意識して書かれたものだった。

4　安全装置としての女性ハンター

二十世紀初頭には、北アメリカ大陸のバッファローが狩り尽くされるのと入れ替わるように、白人によるアフリカでの大規模サファリの時代が訪れる。この時期のアフリカン・サファリは、大半が博物館などで展示する標本収集という「科学的」目的によって組織された。ルーズベルトも一九〇九年に息子とサファリに参加し、多くの成果[40]を得ている。ルーズベルトが参加したサファリは、ワシントンＤＣに新設される国立自然史博物館（National Museum of Natural History）の展示品を収集するという目的で、スミソニアン協会が組織したものだった。この時代、博物館とスポーツ・ハンターは持ちつ持たれつの関係にあり、ハンター側は「科学という名の外套」に身を包んで異国での狩猟を正当化でき、博物館側も多様な地域の珍しい標本やデータを効率よく収集できた[41]。

ルーズベルトが参加したサファリとほぼ同時期に、イギリス領東アフリカ（現ケニア）で別のサファリに参加していたのが剥製技師カール・エイクリーである。もともとルーズベルトは、大統領の任期を終えてからはアラスカでの狩猟を夢みていたが、任期中の一九〇六年に、アフリカ帰りのエイクリーをホワイトハウスの晩餐会に招待している。大統領はエイクリーのアフリカでの話を聞きたがり、彼が帰るころには、アラスカの前にアフリカに行くと意見を変えていた。[42] ルーズベルトは自身が参加したアフリカン・サファリについてまとめた手記の第一章に「更新世を貫く鉄道(A Railroad Through the Pleistocene)」[43] という題をつけているが、ここからもわかるように、彼にとってのアフリカ行きは、地理的移動というよりも、人類史を時間的にさかのぼる行程だった。ルーズベルトを含むアメリカのスポーツ・ハンターは、アフリカという原初の地で、進化論的な「適者生存」を再現することで人類史の始まりから生き直し、生来の卓越した男性性と文明性によって、現地の獰猛な野獣や野蛮な原住民、ひいてはほかのヨーロッパ人をも屈服させ、世界最強の人類として、グローバルな人種間競争の頂点に立つことを夢想したのである。

このように当時のアメリカ人がおこなったアフリカン・サファリは、極端に男性中心的かつ帝国主義的な世界観に支えられていたが、興味深いことにこれらのサファリには多くの白人女性も同行していた。前述のエイクリーを例にとっても、一八九六年に初のアフリカ遠征に旅立って以降、一九〇五年と〇九年の遠征時には最初の妻デリアを、二〇年の遠征には友人のブラッドレー夫妻の妻とその娘を含む四人の女性を、また二六年の最後の遠征には、二番目の妻メアリー・ジョーブを伴っている。

このように、少なくとも二十世紀に入るころには、アメリカの国内外を問わず、スポーツ・ハンティングの場で女性の姿を見ることは珍しくなかった。女性参加者は、単に男性狩猟者に同行するだけのときもあれば、自身も銃を持ち、男性と肩を並べて獲物を追うこともあった。また女性だけでパーティーを組むこともあった。アンドレア・L・スモーリーは、多くの歴史家は長年、「狩猟は男性だけのものというイメージ」に影響されてきたが、それはある意味で誤りだと主張する。スモーリーは、「フォレスト・アンド・ストリーム(*Forest and Stream*)」誌をはじめとする十九世紀末から二十世紀初頭のアウトドア雑誌を調査し、女性による狩猟記や女性ハンターに関する記事が日常的に掲載されていたことを明らかにした。これらの記事の存在は以前から知られて

はいたが、「些細な例外」として、これまでの研究ではさほど注目されてこなかったのである。(44)

実際には、ダニエル・ブーンの妻が夫の留守中に鹿狩りをしたというエピソードが示すように、アメリカでは開拓時代から、日常の食料を得るための狩猟は男女問わずおこなわれていたようだ。(45) その後、十九世紀末にスポーツとしての狩猟がさかんになると、ヴィクトリア朝的な慎みを獲得した中産階級以上の女性たちは、銃のような野蛮な道具を扱うことに嫌悪感を示すようになった。しかし同時に、身近な男性が狩りに興じる姿を見て、多くの女性が狩猟に「興味をもった」ことも想像に難くない。やがて狩猟に参加するようになった女性たちは、とはいえ従来の「女性らしさ」を放棄することはなく、スカートをはき、日よけ帽をかぶり、獲物を仕留めたあとで震えたり気絶したりすることを恥とは思わなかった。(46)

一方、女性が狩りに参加することについて、同時代のエリート男性たちは、いやがるどころかむしろ歓迎するそぶりを見せた。そもそもスポーツや娯楽のための狩猟と食料や商売目的の狩猟は南北戦争以前から共存し、獲物となる野生動物が豊富な時代には両者を区別する必要などなかった。しかし野生動物の減少が顕著になると、スポーツ以外の狩猟を締め出すことで、残り少ない資源を裕福なハンターで独占しようという動きが現れる。そのため前述のように、スポーツ・ハンティングでの manliness の重視や、複雑なルールやマナーによる「正しい」狩猟の定義づけ、あるいは科学的貢献の強調などが生じたが、両者の違いはそれだけでは十分に明確にはならなかった。

そこで新たな手段として浮上したのが、女性を参加させることで、狩猟をサイクリングやゴルフ、写真撮影などと同等の「品位あるレクリエーション」として位置づける試みだった。(47) 女性の参加は、貴族的な遊びとしての狩猟イメージの強化にも好都合だった。ヨーロッパ的な伝統のもと、男性以上にマナーや言葉遣いに気を配る傾向にあった女性は、同行する男性狩猟者に弱きものを守るという使命を常に自覚させ、酒に酔うなどの品位に欠けた行為を思いとどまらせると期待された。このように女性や子どもは、男性が狩り場で manliness を保つための、いわば安全装置のような役割を与えられ、女性の側も、家庭的な価値観が重視されるヴィクトリア朝的風潮のもと、夫に付き従い、野外でともに時間を過ごすことで、理想の夫婦像を演出することができた[48]。

また男性の場合、狩猟との関わりには、高度な文明人から先住民＝野蛮人の段階へと後退するかもしれないという不安がつきまとった。しかし女性には、そうした恐れは生じにくかったと思われる。むしろ女性ハンターは男性とは異なり、これまでにないモダンで新しい女性として称賛された。前述のように、男性ハンターが先住民を模したフロンティア・マンとしてイメージされたのに対し、女性ハンターは、社会進化論的な人類史のイメージからも切り離され、ローマ神話に登場する狩りの女神ダイアナ（図2）[49]にしばしばなぞらえられた[50]。男性並みに銃を扱い、獲物を撃つ女性は、経験豊富で自由にあふれ、勇敢で自立した近代的女性の象徴とみられたのである。

図2　狩りの女神ダイアナを想起させる女性像
（出典：“Pittsburg Archers,” *Forest and Stream,* December 28, 1912, p. 821.Biodiversity Heritage Library〔https://www.biodiversitylibrary.org/item/278853#page/833/mode/1up〕［2023年9月30日アクセス］）

こうしたイメージはやがて政治の場にも波及し、女性の狩猟への参加を、選挙権獲得を含む女性の社会進出と結び付ける議論も現れた[51]。ただし銃撃に長けた女性を「レディーらしくない」とは誰も言わなくなったものの、女性の政治的・社会的地位の上昇については、当の女性ハンターにも消極的な者が多かった。一九二〇年代には、アウトドア雑誌の男性ライターや男性編集者は、野外でのレジャーから政治の問題を意図的に遠ざけるような書き方をするようになる。同時に、アウトドア雑誌の誌面から女性ハンターは徐々に姿を消し、狩猟は再び男性の活動として描かれるようになった。その理由としては、エリート白人男性を中心とする自然保護団体の設立や法整備などによって、スポーツ・ハンティングが「正しい」狩猟だという認識がある程度定着し、食料や商売のための狩猟の排斥が進んだことで、女性も参加できる品位あるスポーツとして狩猟をアピールする社会的意義が消滅したのだろうと、前述のスモーリーは分析している。[52]

5　象を撃つダイアナ――デリア・エイクリーの狩猟記

十九世紀末から二十世紀初頭のアメリカで女性ハンターが台頭したように、一九〇〇年代以降のアフリカン・サファリでも、女性の活躍はそれなりに目立っていた。興味深いことに、前述のエイクリーがアフリカ遠征に伴った女性たちの多くは、著述家としての顔をもち、アフリカに関する著書を出版している。エイクリーの最初の妻デリアも、自身のアフリカでの体験を本にまとめている。

妻や身近な女性たちをサファリに連れていったカール・エイクリーは、一八六四年にニューヨーク州の貧しい農家に生まれた。幼少期に出合った本がきっかけで剝製技師を志した彼は、十六歳から職を渡り歩き、十九歳でロチェスター市ワーズ自然科学施設で研鑽を積む機会を得る。この施設は全米の博物館に剝製や標本を提供していて、カールは勉学のかたわら剝製技術の習得と改良に没頭した。八六年、カールはミルウォーキー公立博物館で学芸員の職を得るが、そのころ、英米を中心に剝製への需要が急速に高まっていた。カールは友人宅の敷地内で剝製製作のビジネスを始め、九二年にはシカゴ万国博覧会での、九四年にはシカゴのフィールド博物館での大規模展示の依頼を受け、剝製技師としての名声と経済的基盤を固めていった。[53]

ミルウォーキーでの学芸員時代にカールはデリアと出会う。当時デリアは結婚していたが、彼女の夫アーサー・ルイスとカールは友人同士になり、狩猟と原野を愛する三人は標本収集のための遠征に一緒に出かけたりもした。[54] やがてデリアはカールのアシスタントを務め始め、数年後にアーサーと離婚する。一八九六年、カールは恋人のデリアを置いて、アフリカのイギリス領ソマリランドへ初の遠征に赴いた。帰国後、フィールド博物館とのもう一つの大仕事を終えた二人は、一九〇二年の冬に結婚する。カールはデリアに、遅いハネムーンとしてアフリカ旅行を約束した。[55]

一九〇五年、エイクリー夫妻はフィールド博物館で展示する剝製標本の収集のために、イギリス領東アフリカへと出発した。この遠征で、デリアは見事な雄の象を仕留め、当時「ケニア山で最大の象牙」を獲得した女性として話題になった。[56] 現在もニューヨーク市アメリカ自然史博物館には、デリアの初めての象狩りを記録した印象的な写真群が保管され、その写真をもとにダナ・ハラウェイは、デリアに関する数少ない論考の一つを執筆している。[57] しかし当のデリアは、最初の自伝的著書『ジャングル・ポートレート』（一九三〇年）で、この出来事をあまり詳しく取り上げていない。同書のハイライトは、二四年と二九年にデリアが単独でアフリカ遠征を敢行した際の記録と、〇九年に夫カールとアメリカ自然史博物館主催の遠征に参加した際のエピソードである。カールは、〇五年から〇六年のアフリカ遠征時に獲得した象を見事な剝製に仕上げ、フィールド博物館で展示して絶賛された。これをふまえてカールは、アメリカ自然史博物館にも同様の剝製を設置し、さらなる名声を得ようと計画した。[58] しかし、デリアにとって二度目になる〇九―一一年のアフリカ遠征は、狩りの成功によってというよりも、夫カールが数人のアフリカ人と写真撮影に出かけた際に、象の襲撃を受けて瀕死の重傷を負うという悲劇的な出来事によって人々に記憶されている。[59]

一九一〇年の秋、象による大けがからようやく回復しつつあったカールは、その経験から生じた恐怖心を克服すべく、デリアらと象狩りに出かける。そこに至るまでのいきさつが『ジャングル・ポートレート』第三章に克明に記されているが、カールとの離婚後にこの著書が出版されたこともあってか、「小さな悪魔」[60]という異名をもったともいわれるデリアによる、夫に関連すると思われる記述は手厳しい。「たくさんの危険な動物を狩ることに成功したあとの人間が注意散漫になるのは、世の常である。その者は事故が起きないことを当然だと思い込んでしまうようだ。しかしやがてその日はくるだろう。特にその人物が森林象を追いかけているときには」[61]。一般論として述べられてはいるが、夫カールが象に襲われた事件を連想させるような一節が、象の習性に関する説明文に紛れ込んでいる。またデリアは、遠征中に数回おこなわれた象狩りの顚末を語るなかで、夫の体調不良にたびたび言及している。「何度も熱が出て血液が毒されていて、（略）彼の命を私はいつも危うんでいたが、彼は〔象狩りを〕諦めようとはしなかった」。「エイクリー氏は全く不健康な状態だったが、一人で象を追いかけると言い張った」。カールが周囲の反対を押しきって狩りを続け、全く治療を受けようとしないので、デリアは、「エイクリー氏が現地に骨を埋めることになる前にこの国を離れられるよう、私が完璧な標本を獲得できればと願い」、象の群れが付近を通りかかるたびに現地人ガイドに様子を見にいかせていた。このようにデリアは、自身の手で象を仕留めることを熱望していたが、それは何より、夫の無事を願ってのことだった[62]。

このように、体が弱い夫の庇護者であり、経験を積んだハンターであると自分を理解するデリアに対し、夫カールは同じくアフリカ遠征を記録した自著では自分の病気についてあまりふれていない。かわりに彼は、妻デリアを女性らしい臆病さと弱さをもつ、やや影が薄い存在として描き出す。カールの主著『輝けるアフリカで』（一九二〇年）には、カールとデリアがそれぞれ十数発もの弾丸を撃ち込んだ末に、雄の象をようやく仕留めたという場面がある。その銃撃の場面に、「私はその銃に装塡された弾をすべて象の頭に撃ち込んだ。（略）その間、エイクリー夫人も同様に発砲していた」とあるように、カールはデリアをしばしば「エイクリー夫人」と三人称で呼び、自分とは別の存在として距離を置いている印象がある。また象を倒したあとでデリアが、「「私、家に帰りたい」とようやく声を発し」、そして「残りの人生はずっと家事をして過ごすわ」と述べたというエピソードをわざわざ書き記している。さらに自身が象に襲われる直前の状況として、「エイクリー夫人は疲れているのでキャンプに残って休むと言った」ので、彼女を置いて出かけたのだと説明している。[63]

デリアも、夫を「エイクリー氏」と記述することがあるが、カールの文章と比べて目につくのは「私たち(we)」という主語である。デリアによると、カールが療養を始めて三カ月ほどたったころ、「私たちは、象にまつわるこれまでの経験のなかでも、最も刺激的な出来事に遭遇した」。ある日デリアが、普段の食事に変化をつけるために、いつものように狩りに出かけようとすると、カールが同行すると言いだした。お付きの少年に椅子を運ばせ、エイクリー氏は「その椅子に座って休息するようたびたび促された」。その途中、「私たちは、突然聞こえた大きな地鳴りのような音に驚いた」。このときは象を目撃するだけで終わったが、久しぶりに象を見た興奮で力を使い果たしたカールは地面に座り込み、「私たちは本当に大変な思いをして彼をようやくキャンプへと連れ戻し、ベッドに寝かしつけた[64]」。

翌朝、奇跡的な回復をみせたカールと一行は再び森へ出かけた。「私たちは、沼地の縁にある小道へと向かった」。そして「私たちは、四十ヤード〔約三十六メートル〕も離れていない茂みから象が出てくるのを見た」。しかしその象は木立に逃げ込み、何時間も出てこなかったので、一行は土手の反対側に姿を現した別の象の群れに狙いを移した。道なき道をかき分け、一行が二頭の象を確認したころには日暮れが迫り、全員疲れきっていた。偶然見つけた人けがない小屋付近を拠点として、一頭をデリアが、もう一頭をカールが狙うことになった。疲れと焦りでカールはなかなか銃を構えられず、霧で見通しは悪く、目の前の象たちは気が立っていた。逃げようとした象同士がもつれ、一頭がデリアに向かって突進してきた。そのとき、「何かが私の脚に触れた。素早く目をやると、小屋の入り口で赤ん坊を抱えた幼い女の子がうずくまり、その後ろから別の子どもがおびえた顔でのぞいているのが見えた」。恐怖で一瞬硬直したデリアは、意を決して銃を握り、引き金を引いた。象は小屋から十フィート〔約三メートル〕も離れていない地点で崩れ落ちた。デリアは、子守を任された現地の子どもが見慣れない白人におびえて隠れていたことに理解を示し、「もし私たちの最後の銃撃が外れて、子どもたちがどんな目に遭っていたかと思うと、いまでも震えてしまう」[65]と回想している。

　このようにデリアは、自身の狩りの場面で、カールにはない独特のヒロイズムを演出している。それに対してカールの場合、「私がただ殺すために狩りをしていたのだとしたら、一日休息を取るべきだっただろう。しかし科学とは嫉妬深い愛人のようなもので、人間の感情などに少しも注意を払わない」というように、剝製技師として「標本を適切に保存」するために、疲れた体に鞭打って連日獲物の処理に没頭したことが強調されている。[66]カールにとって、「科学的知識は死を相殺する」のである。晩年のカールは、ゴリラのジオラマ製作に文字どおり命を懸けるのだが、当時すでに絶滅が危惧されていたゴリラを、絶滅前に完璧な剝製にして博物館に保存しなければという矛盾した使命感に駆られていた。[67]動物の外見の「完璧さ」への執着は、妻デリアにも受け継がれていた。デリアも、ターゲットになる象が、「どちらも見事な牙をもっていた」[68]と撃つ前に確認するなど、動物の状態に常に気を配っていた。彼らのこうした習慣は、正統なスポーツ・ハンターとして、「ただ殺すため」とは違う狩猟をおこなっているという強い自負に基づいていた。

　とはいえデリアの場合、科学への貢献を強調するだけでは、自身の狩猟の正当化には不十分だったようである。したがってその狩猟シーンには、無力な原住民の子どもを守るという新たな使命が追加されたのだろう。

6　男性らしい(manly)白人女性の自意識

エイクリー夫妻のアフリカ狩猟記を読み比べると、そこには狩猟をめぐって繰り広げられるジェンダー間の確執だけでなく、ある種の共犯関係のようなものを読み取ることができる。例えば『ジャングル・ポートレート』の最初の章には、デリアが一九二九年にアフリカへ単独遠征に赴いたときの記録が置かれるが、その冒頭では次のような鋭い文明批判が展開されている。デリアによると、都会のナイト・クラブでジャングルのリズムがもてはやされ、コンゴ風の首輪や腕輪が流行するように、欧米の文明社会では近年「未開のものへの渇望」が噴出しているという。しかし、「そうして生み出された偽物のすべてが、本物の安らぎを我々にもたらしているかは疑問である」。またアフリカに安っぽい憧れを抱く白人たちは、にもかかわらずアフリカ人を文明人に「改善」しようと苦心し、そうした努力はたいてい醜い結果に終わる。西洋文明や科学、白人の優位性にほとんど疑いを向けない夫とは異なり、デリアは、このように独自の視点でアフリカを鑑賞し評価する。しかし別の場面では、どのように白人がアフリカ人を改宗させ、服を着せ、文明に同化させたところで、「彼らは彼らであり、我々は我々である。いかに人が真剣に努力しても、そうした生物学的事実は変えられない」というように、当時の白人エリート層全般に共有されたある種の差別意識を無意識にのぞかせてもいる。(69)

デリアは、彼女にとっての最初のアフリカ遠征のあとで、「太古からあらゆる人種がアフリカゾウを狩ってきたが、象たちが普段ジャングルにいる際の習性について、実際、我々の知識は非常に不十分である」ことに気づく。それゆえに象の生態についてより多くの知識を得るために、一九〇九年の二度目の遠征への参加を決意したと語る。(70)このようにデリアも、夫と同様に科学的知の集積に貪欲ではあるが、狩り場では、科学への使命感からやみくもな衝動を抑えきれない夫を制御する強力な自制心の持ち主として登場する。さらに、病弱な夫に代わって食料のための狩りをする自助能力をもち、病人や子どもといった弱きものを守る勇敢さと、家父長的ヒロイズムをも体現する。デリアが描き出す自己像は、このようにスポーツ・ハンターが有するとされる「男性らしい(manly)」資質を夫以上に有する特別な女性となる。同時にヴィクトリア朝的な家族中心主義を生きる女性として、夫に尽くし、補佐役の現地ガイドに目配りし、使命のために献身的なはたらきをみせる。一方でカールの側も、弱きものとしての妻を気にかけ、その臆病さをときにたしなめながら、選ばれし人類の代表として勇猛果敢に大型獣と対峙し、科学的貢献のために引き金を引く人物として自己を描き出す。

デリアとカールのアフリカ狩猟記では、お互いについての描写が若干嚙み合わないところはあるものの、そこに垣間見えるのは、狩猟をめぐって白人エリート層の男女が表出させるライバル意識や対立、あるいは無自覚な共闘の精神、あるいは男女双方から仕掛けられ、また互いに補完しあうことで機能する歪なセクシズムである。ハンターとしてのデリアの物語は、アンドレア・L・スモーリーがいうように、同時代の北アメリカのアウトドア雑誌にさかんに掲載された、野外で活発に動き回る「山のヒロイン（Mountain Heroine）」たちの物語そのものである。デリアは、開拓地の武骨な女性像とヴィクトリア朝的な品行方正さをもった女性像を混交した女性のイメージを造形した。それはルーズベルトやジョージ・B・グリネルといった上流階級のスポーツマンが、紳士的なスポーツ・ハンター像を先住民と戦う開拓者やカウボーイと結び付けた戦略と同質のものである。[71]つまるところ、世紀転換期の狩猟をめぐる想像力で、女性は、男性の manliness を保証する安全装置として利用されながらも、同時に男性ハンターの美徳とされていた manliness を積極的に模倣・習得し、男性以上に「文明的な男らしさ」を体現することで精神的に優位に立とうとしていたといえる。

このように世紀転換期のスポーツ・ハンターは、「ジェンダー」なるものを、これまで思われていた以上に、複雑かつ矛盾するやり方で行使していた」のであり、その意味で「スポーツマンの雑誌に女性が登場することは、必ずしも当時のジェンダー平等を意味するものではなかった[72]」。同様のことが、本章冒頭で紹介した男性狩猟者説批判についてもいえるかもしれない。確かに狩猟は、太古から男性だけのものではなかったが、それは決して、かつてジェンダー平等を実現する理想郷があったことを意味しない。少なくとも本章でみたとおり、二十世紀転換期の北アメリカで、狩猟を通じてもてはやされた manliness の理想は、むしろ男女問わず「文明人」を標榜するアングロ・アメリカンの間で広く共有され、西洋中心的な人種的ヒエラルキーのビジョンを背景に、その獲得度合いが無意識に競われていた。そこではジェンダーだけでなく、当時の人種や階級の観念、また合衆国を頂点とする帝国主義的な世界秩序の幻影をも巻き込んだ、複雑な力関係が形成されていた。そして、狩猟を軸として作用する複雑な力学や、そこから派生するジェンダー間の矛盾した関係性を、今後はジェンダーという枠組みさえも乗り越えながら解体し、より広い観点から、総合的かつ詳細に解き明かすことが求められているのである。

注

（1）Abigail Anderson, et al., "The Myth of Man the Hunter: Women's Contribution to the Hunt across Ethnographic Contexts," *PLoS ONE*, 18(6), 2023, e0287101.（[https://doi.org/10.1371/journal.pone.0287101]）［二〇二三年九月三十日アクセス］以後、英語文献からの引用はすべて筆者訳。

（2）例えばペルーのアンデス高地にある九千年前の埋葬跡から、若い女性の遺骨が大型動物用の狩猟具一式とともに発見された。これを筆頭に南北アメリカ大陸に存在する複数の埋葬跡を検証した結果、「太古の南北アメリカ大陸では女性は大型動物の狩猟者だった」可能性が高いと結論づけられた。Randall Haas, et al., "Female Hunters of the Early Americas," *Science Advances*, 6(45), 2020, eabd0310.（science.org/doi/10.1126/sciadv.abd0310）［二〇二三年九月三十日アクセス］

（3）南北アメリカ、アフリカ、オーストラリア、アジア、オセアニアに分布する三百九十一集団のうち、六十三集団の記録を調査した。そのうち女性が狩猟に参加したという記録を含む五十集団のうち、三十六集団で女性が獲物を意図的に狙う狩りをしていた記録があると確認された。

（4）Richard B. Lee and Irene DeVore, eds., *Man The Hunter*, Aldine De Gruyter, 1968.

（5）Frances Dahlberg ed., *Woman the Gatherer*, Yale University Press, 1983.

（6）小田亮「（研究ノート）「男性優位の普遍性」再考」、桃山学院大学人間科学会編「桃山学院大学人間科学」第三号、

桃山学院大学総合研究所、一九九二年、一四三―一五七ページ

(7) 日本では、ブッシュマンの社会を例に男性狩猟者説に批判的検討を加えた研究として、今村薫「ジェンダーから見た狩猟採集社会」(「名古屋学院大学論集 社会科学篇」第三十七巻第二号、名古屋学院大学総合研究所、二〇〇〇年、四三―五二ページ)などがある。

(8) 山口裕之「「生物学的決定論」と人間の自由」、日本科学哲学会編「科学哲学」第三十四巻第二号、日本科学哲学会、二〇〇一年、九一―九二ページ。山口はこうした説を「社会生物学風の説明」(傍点は引用者)と呼び、誤りだと指摘する。

(9) Mindy Weisberger, "Shattering the Myth of Men as Hunters and Women as Gatherers," *CNN Wire*, June 30, 2023. (https://edition.cnn.com/2023/06/30/world/women-roles-hunter-gatherer-societies-scn/index.html)［二〇二三年九月三十日アクセス］

(10) 村井まや子「現代美術にみる狩猟と男性性――おとぎ話文化研究の視点から」、神奈川大学人文学研究所編、熊谷謙介編著『男性性を可視化する――〈男らしさ〉の表象分析』(「神奈川大学人文学研究叢書」第四十四巻)所収、青弓社、二〇二〇年、二五七ページ

(11) María D. López Maestre, "'Man the Hunter': A Critical Reading of Hunt-based Conceptual Metaphors of Love and Sexual Desire," *Journal of Literary Semantics*, 44(2), 2015, pp. 89-113.

(12) Andrea L. Smalley, "'Our Lady Sportsman': Gender Class, and Conservation in Sport Hunting Magazines, 1873-1920," *Journal of the Gilded Age and Progressive Era*, 4(4), October 2005, pp. 355-380, Kenneth P. Czech, *With Rifle and Petticoat: Women as Big Game Hunters, 1880-1940*, the Derrydale Press, 2002, Angela Thompsell, *Hunting Africa: British Sport, African Knowledge and the Nature of Empire*, Palgrave Macmillan, 2015.

(13) 女性と狩猟というテーマについては、聖学院大学人文学部の江崎聡子准教授から示唆をいただいた。

(14) Daniel Justin Herman, *Hunting and the American Imagination*, Smithsonian Institution Press, 2001, p. 218.

(15) Peter J. Schmitt, *Back to Nature: The Arcadian Myth in Urban America*, Johns Hopkins University Press, 1990, p.

3.

(16) J. A. Mangan and James Walvin eds., *Manliness and Morality: Middle-class Masculinity in Britain and America, 1800-1940,* Manchester University Press, 1987, p. 23.

(17) Gail Bederman, *Manliness and Civilization: A Cultural History of Gender and Race in the United States, 1880-1917,* The University of Chicago Press, 1995, p. 200.

(18) *Ibid.*, pp. 18-24.

(19) Herman, *op.cit.*, p. 10.

(20) *Ibid.*, p. 1.

(21) *Ibid.*, p. 11.

(22) *Ibid.*, p. 222.

(23) Theodore Roosevelt, *The Winning of the West,* Vol.1, Dakota Edition, G.P. Putnam's Sons, [1989]1908, pp. xxi-xxii.

(24) 北アメリカ先住民が着用した、踵がない柔らかいシカ革の靴。

(25) 図１の写真は、これをもとに作成された銅版画とともに、セオドア・ルーズベルトの主要著書の口絵として繰り返し使用されている。

(26) Herman, *op.cit.*, p. 7.

(27) Bederman, *op.cit.*, p. 179.

(28) *Ibid.*, p. 7.

(29) Smalley, *op. cit.*, p. 357, John F. Reiger, *American Sportsmen and the Origin of Conservation,* 3rd rev. & expanded Edition, Oregon State University Press, 2001, p. 7.

(30) Theodore Roosevelt and George Bird Grinnell eds., *American Big-Game Hunting: The Book of the Boone and Crockett Club,* Cosimo Classics, [1893]2020, pp. 14-15.

(31) Bederman, *op.cit.*, pp. 18, 181.

（32）*Ibid.*, p. 181.
（33）Louis S. Warren, *The Hunter's Game: Poachers and Conservationists in Twentieth-Century America*, Yale University Press, 1997, p. 14.
（34）Reiger, *op.cit.*, p. 7.
（35）Herman, *op.cit.*, p. 157.
（36）William Temple Hornaday, *Our Vanishing Wild Life: Its Extermination and Preservation*, Charles Scribner's Sons, 1913, p. 66.
（37）Bederman, *op.cit.*, p. 12.
（38）Theodore Roosevelt, *Hunting Trips of a Ranchman*(1885), *Ranch Life and the Hunting Trail*(1888), *The Wilderness Hunter*(1893).
（39）Daniel J. Philippon, *Conserving Words: How American Nature Writers Shaped the Environmental Movement*, The University of Georgia Press, 2005, p. 49.
（40）このサファリでルーズベルトは二百六十九頭もの哺乳類を殺したが、その六分の五はスミソニアン協会に保存されたと主張している（Bederman, *op.cit.*, p. 211, Herman, *op.cit.*, p. 222）。
（41）Herman, *op.cit.*, p. 221.
（42）Carl E. Akeley, *In Brightest Africa*, Garden City Publishing, 1923, pp. 158-159.
（43）Theodore Roosevelt, *African Game Trails*, Digireads.com Publishing, [1910]2020, p.8.
（44）Smalley, *op.cit.*, p. 358.
（45）Herman, *op.cit.*, pp. 227-228.
（46）*Ibid.*, p. 228.
（47）Smalley, *op.cit.*, p. 364.
（48）*Ibid.*, pp. 367, 373.

(49) アンドレア・L・スモーリーは、「フォレスト・アンド・ストリーム」誌が女性にアーチェリーを推奨する際に、弓を持った女性の写真をたびたび掲載し、狩りの女神ダイアナのイメージを意図的に喚起したと指摘する（*Ibid.*, p. 368)。

(50) *Ibid.*, pp. 368-369.

(51) Herman, *op.cit.*, p. 231.

(52) Smalley, *op.cit.*, pp. 378-379.

(53) Donna Haraway, *Primate Visions: Gender, Race, and Nature in the World of Modern Science*, Routledge, 1989, pp. 35-37.

(54) Penelope Bodry-Sanders, *African Obsession: The Life and Legacy of Carl Akeley*, Batax Museum Publishing, 1998, pp. 32-33.

(55) *Ibid.*, pp. 48-71.

(56) *Ibid.*, pp. 84-97.

(57) Haraway, *op.cit.*, pp. 26-58.

(58) Bodry-Sanders, *op.cit.*, p. 133.

(59) Haraway, *op.cit.*, p. 47.

(60) Bodry-Sanders, *op.cit.*, p. 33

(61) Delia J. Akeley, *Jungle Portraits*, The MacMillan Company, 1930, p. 78.

(62) *Ibid.*, pp. 83-84.

(63) Carl Akeley, *op.cit.*, pp. 39-44.

(64) Delia Akeley, *op.cit.*, pp. 85-87.

(65) *Ibid.*, pp. 87-94.

(66) Carl Akeley, *op.cit.*, p. 211.

(67) Haraway, *op.cit.*, p. 34.
(68) Delia Akeley, *op.cit.*, p. 93.
(69) *Ibid.*, pp. 1-2, 8.
(70) *Ibid.*, p. 82.
(71) Smalley, *op.cit.*, p. 369.
(72) *Ibid.*, pp. 359, 380.

第6章　オーストラリア児童文学におけるアボリジナル文化
——精霊の表象を手がかりに

鈴木宏枝

はじめに

オーストラリアは、十七世紀初頭にヨーロッパ人が初めて到達した大陸であり、一七七〇年にイギリス人のジェームズ・クックがその東海岸をイギリス領ニュー・サウス・ウェールズであると宣言し、八八年から流刑植民地として入植が開始された地である。北アメリカと同様、囚人以外の開拓者や中国や東南アジアからの移民も加わった植民活動のなか、各地で多様な暮らしを営んでいた先住民のアボリジナル・ピープル（以下、アボリジナルと表記）は土地を奪われ、文化が破壊された。白人が持ち込んだ伝染病が蔓延したほか、移民によるスポーツ・ハンティングの対象になったり、些細なきっかけで地域集団ごと殺戮されたりするという蛮行がおこなわれた結果、一九〇〇年時点の人口は、「比較的少数の先住民（推定九万五千人）と、圧倒的大多数を占める、主にイギリスからのヨーロッパ人（三百七十万人）」[1]で構成され、アボリジナルは激減していた。このような状況下、〇一年に六つの植民地を統合したオーストラリア連邦が成立している。

開拓が進むなかで、一八八〇年代に各植民地で制定・施行されていた中国人移住制限法によって、安価な労働力を提供する中国系をはじめとする「有色」の移民が排斥されるようになり、一九七二年の同法撤廃までの一世紀近くの間、アングロ・ケルト系の移民が自文化や経済的優位を守るための白豪主義が進んだ。この政策のなかで、生き延びたアボリジナルもまた、ますます強い弾圧を受けることになった。特に、アボリジナルの子どもを、ときに誘拐まがいの手段で親元から引き離して学校や教会施設でキリスト教徒として教育し、アボリジナル文化に対するカルチュラル・クレンジングがおこなわれたことや、そのプロセスで子どもに対する虐待や暴力が頻発していたことは、「盗まれた世代」の問題として現代のオーストラリアが向き合うべき課題になっている。北アメリカの先住民運動とも連動してアボリジナルの権利拡大が認められはじめたのは二十世紀後半になってからであり、六二年にアボリジナルに連邦政府の選挙権が与えられ、六七年にオーストラリアの国勢調査に先住民が含まれるようになり、七六年には北部準州でアボリジナル土地権法が制定された。だが、裏を返せば、こうした政治的変化は市民としての人権が長きにわたって奪われたままだったことの証左でもあり、過去にアボリジナルが経験した痛苦については、二〇〇八年になってようやく首相が謝罪したほど、いまだ現在進行形の議論である。

二〇二一年の調査によると、オーストラリア大陸とトレス海峡諸島に暮らす先住民の数は八十一万二千七百二十八人（全人口の三・二%）[2]で圧倒的なマイノリティだが、こうした状況下で、アボリジナルの言語や文化はどのように継承されうるのだろうか。本章ではオーストラリアの児童文学に着目し、白豪主義が優勢な時代にアボリジナルの文化に積極的に目を向けたことで評価される白人作家のパトリシア・ライトソン（一九二二―二〇一〇）の限界と、現代アボリジナル作家のスー・マクファーソン（一九六七―）の可能性について、作品に登場する精霊の表象と女性の身体性を関連させながら考えたい。

1　パトリシア・ライトソンの試み

『星に叫ぶ岩ナルガン』――虜囚としての岩

パトリシア・ライトソンは、ニュー・サウス・ウェールズ州の農村地域に生まれ育ち、デビュー作の『ヘビ・クラブ』（一九五五年。未訳）でオーストラリア児童図書賞を受賞した作家である。先駆的なメイ・ギブス（一八七七―一九六九）やノーマン・リンゼイ（一八七九―一九六九）など、ブッシュやアウトバックをはじめとする気候風土やオーストラリア大陸に固有の動植物を用いた作家たちの流れを汲み、『ヘビ・クラブ』でも、「オーストラリアの風景」(3)を重視している。「オーストラリアの抱える宿命」(4)を探るなかで、『古い魔法』（一九七二年。未訳）以降、アボリジナル文化に関心を寄せるようになり、『星に叫ぶ岩ナルガン』（一九七三年。以下、『ナルガン』と略記）、『いにしえの少女バルイェット』（一九八九年。以下、『バルイェット』と略記）、「ウィラン三部作」と呼ばれる『氷の覇者』（一九七七年）、『水の誘い』（一九七八年）、『風の勇士』（一九八一年）や、『霊がいる川』（一九八三年。未訳）、『いにしえのガラン』（一九八九年。未訳）などを発表した。オーストラリア児童文学の幅を広げたことによって国内で高い評価を受けただけでなく、「オーストラリアのアボリジナルの神話を題材にした三部作（『氷の覇者』『水の誘い』『風の勇士』）を中心として『ヘビ・クラブ』から『ミセス・タッカーと小人ニムビン』（一九八三年）まで、パトリシア・ライトソンの本とオーストラリアの児童書の成熟期は重なる」(5)と評価され、一九八六年に国際アンデルセン賞を受賞した。これによって彼女の権威は揺るぎないものになり、九九年には、ニュー・サウス・ウェールズ州立図書館が「著作物にオーストラリアのアボリジナル神話を織り込んだことで知られる」(6)ライトソンを顕彰して、パトリシア・ライトソン賞を創設している。現在も、アボリジナル文化へのアプローチを含めてオーストラリアの重要な児童文学作家の一人と見なされているといえるだろう。

一方で、ライトソンに対しては「汎アボリジナル文化を構築しようとするものであり、その横領癖には問題がある」(7)という批判もある。一九七〇年代に劣位とされていた先住民文化をポジティブに捉えたことは評価できるが、そのまなざしはやはりあくまで白人のものであり、アボリジナルにオリエンタリズム的な他者性を負わせたことは、限界として指摘しなくてはならない。しかもそこに無意識の男性優位の力学が重なって、女性の声もまた奪われていたことは、今日の議論では見過ごせない点だと思われる。

『ナルガン』では、オーストラリア内陸部の人間の世界と土地の精霊の世界、そしてよそ者としてやってくる太古からの精霊の世界が重なり合う。あらすじは次のとおりである。両親を交通事故で亡くし、精神的な鬱屈を抱えるサイモン・ブレント少年は、遠縁にあたる中年の兄妹チャーリーとイディの家に引き取られる。彼らが暮らすウォンガディラは、直線の境界線で四角く区切られた五千ヘクタールの広大な丘陵地で、敷地の中心に建てられたコテージの近くに「沼」、北西に「ツーロングの森」、北東の同じ山に「ナルガンの谷」と「ナイオルの洞穴」があり、兄妹は牧畜で生計を立てている。一方で、太古の岩の精霊であるナルガンは、大陸南東部で目覚めてゆっくりと移動してきていて、サイモンの到来と時を同じくしてウォンガディラに到達してとどまっている。

図1　『星に叫ぶ岩ナルガン』の原書の表紙
（出典：Patricia Wrightson, *The Nargun and the Stars*, Hutchinson of London, 1973.）

サイモンは、かつてチャーリーとイディも親しんでいた、カエルに似た沼の精霊ポトクーロックに出会い、距離を縮めていく。ある日、周辺の作業員が開墾に使っていた重機が忽然と消える事件が起き、その探索に加わるなかで、沼に住む別のいたずら好きの精霊ツーロングたちが地ならし機を沼に沈め、谷に住む小さくて強い灰色の岩の精霊ナイオルたちがブルドーザーを丘の洞穴に運んだことを、ポトクーロックからの情報で知る。さらにサイモンはナルガンの存在とその危険性を偶然に知り、チャーリーと一緒にそれを敷地から排除する方法を考える。

　ナルガンが機械の音を苦手としていると推論したチャーリーとサイモンは、ナルガンがいるすぐそばの洞穴に隠されていたブルドーザーのエンジンをかけて振動を起こす。脅かされたナルガンがブルドーザーを破壊すると、それとともに地盤が崩れ、ナルガン自身が地中深くにはまり込んで動けなくなる。やがて、ナイオルたちが近づいてきてナルガンを偉大なものとして崇めるようになるところで物語は終わる。

　ナルガンは「自然の非情な面をも暗示[8]」する存在で、火山や地震のように大地と連動する。精霊の世界をありのままに受容するなら、たとえ不気味だろうとも、本来、ナルガンは自由に移動し行動していいはずだが、移動の途中で生きものを補食したり、「激しい怒りに襲われたあげくの殺し[9]」をおこなったりするため、人間にとっての脅威と見なされ、地所から排除しなければならない存在となる。ナルガンの移動のプロセスは近代ヨーロッパ的な時間感覚や地図に落とし込まれ、北に進み始めたのは「一八八〇年ごろのことで、場所はビクトリア州[10]」だと作中で述べられる。神話的で円環的な時間のなかにいるはずの精霊が、オーストラリアという国家の直線的なものさしで切り刻まれているのである。

　ナルガンを指す英語の代名詞は無生物の「それ（it）[11]」だが、ナルガンという名前の由来が、オーストラリア大陸南西部のグナイ・クルナイ族の伝説の半人半岩であることを考えると、別な可能性も浮かんでくる。この半人半岩とは「ミッチェル川の滝の後ろにある洞穴に暮らす大女像[12]」であり、この洞穴が「ナルガンの洞穴[13]」であることに留意するなら、ナルガンは女性として想像できる余地を残すのではないだろうか。そこで本章ではナルガンを「彼女」と捉えたい。

サイモンとチャーリーという白人の男性たち[14]は、ナルガンと対話することはない。自由に動こうとするナルガンは、白人男性が主導する開墾から排除され、最後にはもはや動くこともかなわず、朽ち果てるまでの永遠の時を過ごさなくてはならなくなる。ナルガンの怒りやいら立ちの感情はネガティブなものと見なされ、入植者たちの活動で引き起こされる大地の震動による不快感、すなわちナルガンの身体性そのものが、最終的に彼女の死刑執行に利用される。彼女は、空気や雨や日光に触れて小さくなり、最終的には、岩としての生を全うすることさえ許されない虚無のなかに留め置かれる。[15]このとき、チャーリーが所有格を使って「おまえのナルガンは永遠に閉じこめられたと思うよ[16]」（傍点は引用者）とサイモンに告げる場面は示唆的である。結果としてナルガンがいる土地の「聖性は近代化によって飼いならされ[17]」、他者化されたナルガンは「人間の／男の」ものとしてウォンガディラに所有されることになる。

重機の探索中に、サイモンはたまたまナルガンに寄りかかり、思いつきでそこに「サイモン」と名前を、別の岩に「ブレント」と苗字を彫り付けるのだが、後日、「サイモン」と記したほうの岩だけが斜面を転がり上がっていったことに気づき、不穏な岩が地所に入り込んでいるとチャーリーに伝える。文学研究者のクレア・ブラッドフォードが「ナルガンの表面に刻まれたサイモンの自刻は、所有権のメタファーとしても機能する[18]」と指摘するとおり、重機の音に苦しみながら洞穴の奥深くに閉じ込められるナルガンの身体にサイモンという名前が刻み込まれたままである点は、二重に抑圧的だろう。両親を亡くすという理不尽な運命に静かな怒りを抱え続ける「サイモンが、二つの地下の旅のなかで、文字どおり土地の奥深くに入っていき、ナルガンの形をした自分の「影」に向き合う[19]」という解釈でも、サイモンの個人的な感情の昇華に大地の精霊を利用すること自体に人間中心主義的な思考が見え隠れするともいえる。[20]

『ナルガン』はライトソンの作品のなかでも特に高い評価を受け、一九七四年のオーストラリア児童図書賞を受賞し、二〇〇九年には舞台化もされている。だが、ナルガンに仮託された先住民性を考えるとき、それが白人文化と異なるものとして分断され、客体化されていることは自明である。ライトソンは、確かに眼前の土地とそこにある文化からインスピレーションを得て、アボリジナルの精霊をオーストラリア的なアイコンとして作品に取り入れようとしたと思われる。だが、それはあくまで他者としての接近であり、むしろ、ライトソンの手になるナルガンの悲痛な運命は、入植者による開墾の前に屈服した大自然のありようのほうを想起させる。ナルガンが女性である可能性を考えるなら、生き埋めにされた孤独と絶望の重みはさらに増すのではないだろうか。

『いにしえの少女バルイエット』——裁かれる女性性

『バルイエット』はアボリジナルの伝承を下敷きにした作品である。エセル・ハッセルという白人女性が十九世紀に採録したアボリジナルの民話をC・W・ハッセルが『褐色の友人たち』（一九七五年。未訳）という本にまとめ、そこに収録された「バルイエット（こだま）」を参考にしてライトソンが創作した。[21]『褐色の友人たち』のなかで「バルイエット」は、山歩きやアボリジナルとのやりとりについてのハッセルのエッセーのあとに語られている。内容は次のようなものである。バルイエットは溌剌として美しく、申し分のないアボリジナルの少女だが、婚約者は若くして死んでしまい、好きになった男性は彼女を相手にしない。やがて、バルイエットは集落にやってきたほかの地域集団の若者二人に出会い、両方と楽しい恋をして結婚の約束をする。二人は出身地が異なり、本来、決して争わない義兄弟の契りを交わしていて、それぞれの故郷に帰ってまもなく、バルイエットと結婚するつもりで二人とも長老を伴って再訪してくる。バルイエットの集落の長老は困り、共同体内の男と結婚させることにするが、若者たちはそれを知らずに互いを敵視し、バルイエットが話し合いをもとうとした場所で鉢合わせする。けんかを収めるために人が来たときには時すでに遅く、二人は組み合ったまま息絶えていた。長老らは、義兄弟の掟を破った若者たちを埋葬せず、悲劇のきっかけを作った軽はずみなバルイエットを山に置き去りにし、集落を焼き払って次の土地に旅立っていく。取り残されたバルイエットは「死が彼女を自分の手元に置き、丘陵で暮らすことができると告げたが、死さえも彼女の魂をほしがらないため死ぬことはできず、大小の峡谷をさまようことはできても平原を再訪することは二度とできなかった[22]」。彼女は「こだまの声をもつ霧の姿[23]」になり、山に入り込んできた子どもを誘惑し、自分のそばに置いておきたいと願う。だが、バルイエットに抱きしめられた人は、寒さのあまりすぐに死んでしまうので、新たな友達ができることもなく、悲しみのうちに山々を巡り続けているという。

メキシコの「ラ・ヨローナ（泣き女）」伝説も、これと似た構造をもっている。いくつかのバリエーションがあるが、代表的な話では、インディオの女性マリアがスペイン人の紳士と結婚して子どもを産むが、やがて夫の愛が冷める。夫がスペイン人女性と一緒にいるところを見て正気を失ったマリアは、子どもたちを川で溺れさせ、我に返って救おうとするが結局、助けられずに死なせてしまう。その後、絶望のあまり自殺を図るものの、魂は天に昇ることを許されず、泣き叫びながら川辺で永遠に子どもたちを捜すようになる。「バルイエット」も「ラ・ヨローナ」も若い女性や母親にふさわしくない振る舞いを罰せられ、男性原理に基づく裁きを受けた女性の霊が、子どもをさらったり死に至らしめたりする点で類似しているといえるだろう。女性の悲哀に胸を打たれると同時に、伝説を聞く子どもたちに対しては、水辺や霧が出た山に入

図2　『いにしえの少女バルイェット』の原書の表紙
（出典：Patricia Wrightson, *Balyet*, Margaret K. McElderry Books, 1989.［白百合女子大学児童文化研究センター所蔵］）

ってはいけないという現実的な教訓として機能していることも読み取れる。

ライトソンの『バルイェット』の主人公は、十四歳の白人少女ジョーである。ジョーは、男友達のテリーとその兄で十九歳の大学生ランスがキャンプにいったと知り、そこに自分もいこうと思いつく。そして、ベビーシッターとして自分を世話してくれている隣家のアボリジナルの女性ミセス・ウィレットがそのキャンプと同じ場所に出かけるのを見越して車の後部座席にこっそりしのび込む。ミセス・ウィレットは地域集団の〈賢い女〉[24]の役割を担う女性で、呪術的な言葉や精霊とのやりとりの技術を引き継いでいる。彼女は昔ながらの儀式をおこなうために山に向かうのだが、連れてくるはずではなかったジョーがいることに面倒を感じ、テリーとランスが近くでキャンプをしていることにも強い警戒心をもつ。

ジョーはミセス・ウィレットに敬意を払わず、子ども扱いされることに反発し、失礼な言動を繰り返す。さらに、ミセス・ウィレットからの警告を無視し、約束を守らずに入り込んだ山のなかで、霧をまとったこだまとして登場するバルイェットの霊に出会う。ジョーは奔放な恋ゆえに共同体から見捨てられてさまよっているバルイェットに激しい同情を感じ、友達になろうとする。しかしそれは、ジョーが考えるほど容易なことではない。最終的に、ミセス・ウィレットは、バルイェットの手に落ちて死にそうになったジョーを救うために、かつて自分に儀式を教えてくれた長老たちの霊を呼び出して助けを請う。長老たちの話し合いの末、「新たな創造によって、バルイェットは休息にむけて旅立[25]」ち、ジョーは助かって平常心を取り戻す。

イギリスの児童文学作家アラン・ガーナー（一九三四―）の『ふくろう模様の皿』（一九六七年）では、ロジャ、アリスン、グウィンの三人の子どもたちの運命がウェールズ神話「マビノギオン」中の「マソヌウイの息子マース」の三角関係に重ねられ、かつての殺人事件や恋愛のもつれが現代の若者たちの人間関係に再現されているが、それと同様に、『バルイェット』に登場する子どもたちも、伝説と重なる行動をとる。バルイェットに重ねられるジョーは、若い男性であるテリーとランスに興味津々で、彼らに会いたいがためにミセス・ウィレットの車にしのび込み、好奇心にかられて立ち入りが禁止された池や山のなかに入っていく。さらには、キャンプ中のよその家族のためにベビーシッターを引き受けたにもかかわらず、テリーらと遊びにいきたくなって、世話しなくてはならないはずの子どもから目を離し、瀕死の目に遭わせて信用を失う。テリーとランスの兄弟は、義兄弟の契りを交わした若者たちになぞらえられ、互いに助け合わなければならないという定めに反して不仲になる。実際に、ランスは違法なドラッグの材料になるシビレタケを採取するために山に来たのであり、弟のテリーを見下している。

ライトソンが参考にしたハッセルの「バルイェット」自体が十九世紀の白人の視点からの語りであり、キリスト教的なモラルのバイアスがかかっているが、ライトソンの『バルイェット』にはさらに、精霊の扱いで三つの問題点がある。第一に、女性の年齢と美醜を関連づける価値観である。ジョーはバルイェットの手に落ちて死にそうになるが、ミセス・ウィレットの尽力で死を回避する。このときジョー自身もバルイェットに非常に接近することでその目のなかをのぞき込み、そこにバルイェットの悲哀と老醜を見て取る。ジョーはバルイェットが自分のような若い女性ではなく千歳をとうに過ぎた老婆であることに幻滅して我に返り、バルイェットと訣別しようとする。つまりジョーは長い間さまよってきたバルイェットの絶望に寄り添うのではなく、あくまで若い女性としてのバルイェットにしか同情しないのである。霊の永続性から考えれば年齢は意味をなさないはずだが、「白人／男性」の価値観を内面化しているジョーは、老醜のバルイェットを否定して打ち捨てる。

第二に、バルイェットを追放した地域集団の子孫であるところのミセス・ウィレットがジョーを救うために、かつて自分の師だった長老や先祖を儀式で呼び出し、バルイェットを時の虜囚状態から解放して天に昇らせる点である。このプロセスで最終的にバルイェットの運命を決定するのは、肉体的には死んでいる男たちである。バルイェットは、さまよい続けるこだまとしてのあり方から解放されるが、それも人間の裁きと命令による処遇にほかならず、彼女が真に求めていた和解や仲間との再会は永遠に与えられない。長老たちの決定に翻弄される点で、バルイェットは主体性を獲得できないままである。

第三に、伝説のとおりであれば、そもそもバルイェットは救済されることなくさまよい続けるところに命をもつ存在である。ジョーの生命を助けるためにバルイェットは軛から解放されてしまうが、それは、入植者の子孫である白人の少女のために土着の伝説を根絶やしにしてしまう行為ともいえるだろう。下された裁きを批判し、バルイェットを解放するというこのプロットそのものに白人の優位性が内包され、こだまを失った山にはもはや先住民の土地としての命は存在しない。

ライトソンはアボリジナル文化に引かれ、それをファンタジーに取り入れることで、作品に個性を与えようとした。それはアボリジナルへの素朴な好奇心であり、彼らの文化を蹂躙するつもりはなかったかもしれない。しかし、ライトソンが描いたアボリジナル的な世界は、西洋の男性中心的な原則によるものであり、人間と異種を分断し、裁く点で非－アボリジナル的なものにならざるをえない。アボリジナルの女性が「まず女性、さらに人種と二重に劣ったものとして構築されている(26)」ことへの加担にライトソンが無自覚であったのは、時代の限界と同時にライトソン自身の限界でもあった。ナルガンやバルイェットの描き方は白豪主義の表現のバリエーションの一種とさえいえるかもしれない。岩やこだまで形象化される精霊の身体への抑圧は、結果的に、オーストラリアの大地という身体性をも縛るものになっている。

2 スー・マクファーソン――共生と抱擁

『グレイス・ビサイド・ミー』――アボリジナル作家の挑戦

アボリジナル文化をめぐる施策が変化するなかで、二十世紀後半になると教育を受けたアボリジナル自身が作家や編集者、アーティストとして活動する素地が生まれ、アボリジナルという複数性の文化をヨーロッパ由来の白人文化と対立させずにどのようにオーストラリアという土地の文学のなかで展開させるかという試みが実を結び始めた。

スー・マクファーソンは、ウィラジェリ族の母とトレス海峡諸島民の父の間に生まれ、[27]ニュー・サウス・ウェールズ州のマクファーソン家の養子として育てられた。[28]アーティストとして活躍するかたわら、ワークショップで創作を学び、初めて書いた『グレイス・ビサイド・ミー』（二〇一二年。未訳）を文芸サークルの活動を通して改稿していき、二〇一一年に始まった「ブラック・アンド・ライト！」に応募して作家デビューが決まった。「ブラック・アンド・ライト！」はオーストラリア国内の奨励制度《フェローシップ》で、先住民の書き手による未公表の小説を公募し、一年に二人が選ばれ、一万五千ドルの奨学金と商業出版に向けた援助がおこなわれる。作家を育てるだけではなく、編集者志望のアボリジナルの若者にもインターンシップの門戸が開かれ、実際の編集作業に携わる機会が設けられている。インターンとして『グレイス・ビサイド・ミー』を担当したリンダ・マクブライド－ユーキーは、オリジナルの原稿がアボリジナルの英語表現であふれかえっていたので、より平易に読めるように手を入れたことを回想している。[29]その結果、この作品は広い読者層にアピールするものになり、アボリジナルの作品を中心に扱うマガバラ・ブックスから出版され、さらに大きな反響を呼んで一八年には

図3　『グレイス・ビサイド・ミー』の原書の表紙
（出典：Sue McPherson, *Grace Beside Me*, Magabala Books, 2012.）

テレビドラマにもなった。マクファーソンの近作は『ブロンタイド』（二〇一八年。未訳）で、白人やアボリジナルなど背景が異なる四人の少年たちが、学校でのアクティビティを通じてそれぞれに自分の世界を物語っていく中篇である。

『グレイス・ビサイド・ミー』の舞台は、二〇〇八年のニュー・サウス・ウェールズ州の架空の小さな町である。アボリジナルの少女ファジー・マッカーデルは父親のソニーと別居し、父方の祖父母であるポップ（おじいちゃん）とナン（おばあちゃん）と一緒に暮らしている。この小説は語るということがいかに自分の力になるかという読者への呼びかけから始まり、ファジーの一人称の視点で家族や学校や近隣の出来事が明るく説明されていく。マオリや日系人、ハンディキャップをもった子も含めた多様なコミュニティの人たちの過去と現在、そして互いの関係性が少しずつ浮かび上がるように描かれているところがおもしろさの中心といえるだろう。

ポップの先祖は、子どものころに誘拐されてプランテーションで働かされた南太平洋諸島民で、スコットランド系移民だったプランテーションのオーナーの苗字「マッカーデル」を引き継がされた。これが抑圧であることは確かだが、さらわれてきたアボリジナルの少年にとって、ことはそれほど単純ではない。「親や部族も知らず、白人の「主人」の慈悲と保護に頼らなければならないアボリジニの男の子には、白人との間に、力関係を含んだ不可思議な忠誠心が生まれた[30]」と指摘されるように、プランテーションで成長していく先住民の子どもにとって、環境の受容と順応のほうがクリティカルであり、混交的なアイデンティティを形成していくという選択のほうが自然だろう。労働者を単純な支配と被支配の関係だけでみるのではなく、個人のなかに白人文化とアボリジナル文化を不可避的に混交させたそのあり方を、プランテーションでの困難な生活を生き延びた証しとして称賛することもできるのではないだろうか。農園主のマッカーデルが故郷の音楽であるバグパイプをアボリジナルの労働者たちに教え込んだ結果、アボリジナルは、それを自分たちの音楽として修得し、次の世代に弾き方を伝え、ソニーはいまや巧みな演奏者である。

ファジーの母のリタは十七歳でソニーと出会い、妊娠してファジーを出産した。ポップとナンの回想によると、リタは二人を頼って働きながら赤ちゃんのファジーを育てていたが、ときに分不相応な高額な買い物をするため、二人は不審に感じている。あるとき、リタはシドニーの親戚を訪ねるといって出ていったきり帰らず、三週間後にオーバードーズで死亡しているのを発見される。

物語の中盤、町で会計事務所を経営し、市長も務めるリッジウェイという白人男性が家を訪れる。ポップが相手をするが、ナンやファジーは落ち着かない。さらにリッジウェイはファジーが一人で留守番しているときに訪れ、彼がかつてリタを愛人にして金銭援助をしていたことを暴露して、リタを「ちびで黒く、身持ちが悪い女[31]」と罵り、ファジーにも愛人関係を求めてレイプしようとする。ファジーが抵抗し、友人の助けを求めたことで事なきを得るが、ファジーのショックは計り知れない。このとき、リッジウェイは、紅茶に添えられた赤砂糖《ブラウン・シュガー》を見て、残酷に告げる。

目をそらすなよ、お嬢ちゃん。ヤク中の売春婦の母親から生まれた黒人の女の子を誰も雇うわけがないだろう。大勢の男が赤砂糖のうまみを知っているのさ。何百年も世界中で共有されてきた商品なんだ。サトウキビだけの問題じゃない。お前の血に、性に、温かくて甘い茶色い体のなかにあるんだ[32]。

「少女を含むアボリジニ女性は、一五〇年余にわたり、常に白人男性のレイプに苦しみ、性的に利用される存在だった[33]」と青山晴美はオーストラリアの女性史についての著書で述べている。リッジウェイのおこないには、男性による女性への搾取だけでなく、白人によるアボリジナルへの搾取も重ね合わせられ、民族集団としての悲劇を個人レベルで再現したものとして表象されている。

逃げたリッジウェイは、やがて追い詰められて拳銃自殺し、相応の報いを受けるが、衝撃的な暴力で損なわれたファジーの精神は改めて手当てされなければならない。ポップとナンは、ファジーを「ローラの森」と呼ばれる手つかずのブッシュに連れていき、起きてしまったショックな出来事にとらわれるのではなく、周囲の仲間や隣人などに恵まれていることに気づき、彼らに支えられて再び歩んでいこうと思えるように助ける。

アボリジナル文化との抱擁

ファジーは、好奇心が旺盛で、家族への思いやりと勇気がある、ごくありふれた少女である。しかし、アボリジナルであることは確実にファジーの人格形成に大きな影響を及ぼしている。アボリジナルであるがゆえに背負わされた歴史に精神が損なわれる一方で、アボリジナルであるからこそ得られる感覚によってそこから回復するというプロセスが、彼女のエージェンシー（行為主体性）獲得の大きな助けになる。

では、何がファジーを救済するのだろうか。アボリジナルの個別的な精霊像や超自然的な現象を描くこと以上に、その世界観をどのように包括的に取り込むかが重要である。例えば、アボリジナル文化としてよく知られる「ドリーミング」は、中央オーストラリアのアナング族の「チュクルパ」やノーザン・テリトリーのアランダ族の「アルチェリンガ」の訳語で、最初に英語に翻訳されたのは一八九六年にさかのぼる。[34] ドリーミングといっても、いわゆる夢みとだけ直截に結び付くわけではなく、総体的に西欧的な時間概念とは異なるコスモロジーを内包する概念であり思想である。大陸各地のアボリジナルの地域集団は「虹ヘビ、つまり生命の母[35]」によって人間や動物たちが誕生したという創世神話と、その時代を「ドリームタイム」と捉えるディスコースを共通にもち、いま生きている人間たちの営みが精霊たちのドリーミングであると捉えている点でも、同じものの見方をしている。個別の集団では、それぞれの土地にかつて生きていた人や祖先の生は、「現世の日々の現実と共に存在する現実[36]」として認識されている。アボリジナルの世界観では、精霊と人間の「両者があいまって、実在を構成[37]」するだけでなく、精霊と人間の二相性が混交するなかで、「死者の霊とも共存[38]」しているといえるだろう。この点で、いま生きている人間、かつて生きていた人間、精霊など多様な種が共生するアボリジナルの日常の捉え方が、ファジーにポジティブにはたらきかけることになる。

『グレイス・ビサイド・ミー』では、ポップ、ナンの叔母のリリー、またファジーにとって、「風、大気、野生の生きもの、あなたの周りにいる太古の精霊たちとつながる(39)」ことは当たり前である。彼女たちは「周りにあるすべての奇妙なものたちとのつながりも、そのうちに私の人生の一部になるだろう(40)」と考えている。とりわけ、アボリジナル的な精神性を体現するのがグレイスという霊的存在で、あたかも実在するかのような生命性をもっている。グレイスは必ずしも血縁や先祖というわけではないが、ファジーは、「グレイスがそばにいれば、その天上の存在に包まれるよりも大きな贈り物はない(41)」と、その超越的な実在性を感じることができる。

白人男性に搾取されてきたアボリジナルの女性であることを冷酷な形でリッジウェイに突き付けられたファジーは、そのせいで負った傷を、アボリジナルに由来するものでケアしていく。リタの娘であり、「赤砂糖」であり、アボリジナルである自分をあらためて受容し、アイデンティティの再構築をするとき、グレイスを包含する世界の二相性がファジーを健やかなものへと導いていく。グレイスを感じられることこそがアボリジナルの「ドリーミング」の実現であり、精霊や祖先のドリーミングが、現実の日常であると捉えるような認知で、グレイスの世界とファジーの世界は混然一体となっている。そこを起点として、ファジーは回復しはじめる。ローラの森でのファジーは、グレイスが確かに近くにいると思い、ポップに何を感じたかと聞かれると、「私は、純粋な穏やかさと、ええと、ただただ……ちゃんとしているって感じたの(42)」と答える。こうして彼女は暴力を受けたからといって魂まで損なわれてはいないことを示す。

物語の最終場面は、大晦日の夜である。親戚や友人がファジーの家に集まり、パーティーをする。ソニーは、スコットランド文化の名残を自らの音楽とし、キルトで正装して、バグパイプで習わしどおりに「蛍の光」を演奏する。アボリジナルとヨーロッパ系支配者、搾取した側とされた側という分断は乗り越えられ、プランテーションの記憶と結び付いていたとしても、その音楽は拒絶されることなく奏でられる。さらにその娘であるファジーは、グレイスがそばにいることを知覚し、性的な搾取があったことに打ちひしがれることもない。アボリジナルであることに由来する歴史性と実感できるドリーミングを自らのうちに抱擁することで、個人のなかに刻まれる混交性は、オーストラリアに生きる現代のアボリジナルにとっての力になり、ファジーは自信をもって「自分自身を愛する[43]」ことを知るのである。

おわりに

本章では、アボリジナル文化に由来する精霊を女性の身体性と関連させることで、オーストラリア児童文学における人間と異種の共存の表象の可能性について探ってきた。それは、ものを書く力をもつ者が、本来は体感し口承で伝えられるはずのアボリジナルの物語をどのようにテクスト化するかという問いでもある。白豪主義の時代に白人作家のライトソンがオーストラリア児童文学での先住民文化の表象の可能性を見いだしたことは確かにエポックメイキングだった。その「独自性が評価されるのは、オーストラリアの大地に記憶されるアボリジナルの伝統文化を再生保持し、同時に現代に新たな文化価値をもたらす物語を描き出したからに他ならない[44]」。しかし、二十一世紀の現在、ライトソンの功績がまさに「発見」という侵略者の文脈上でたたえられたものであることに留意しなくてはならない。先住民文化への敬意があるようにみえる『ナルガン』や『バルイエット』は、結果的に「同化行為であり、それにより、アボリジナルの伝統は西欧のメタナラティブのなかでしか存在できないものになってしまう[45]」という問題を抱えていた。

この点で、新たにものを書く力を手に入れた世代であるマクファーソンは、アボリジナル文化を現代の若者の日常のなかで描いている。これはヨーロッパ的な自他の分離を前提とするコンテクストでは不可能なアプローチである。ライトソンがコロニアルな視点から脱却することができず、西洋的な分断のまなざしから先住民文化をみざるをえなかったのに対し、マクファーソンの作品では、収奪の歴史が女性の身体性の回復によってあがなわれ、アボリジナルのアイデンティティは自問のなかで受容される。ファジーをはじめとするアボリジナルの若者や老人のモノローグ、そしてダイアローグを通して、アボリジナルであることの傷と恵みが語られ、登場人物たちはそこから目をそらさない。ルーツとの応答的で相互的なあり方が探られ、そのなかで霊的な存在が人間と同じ地平で彼らの世界にはたらきかけている。

オーストラリアは、先住民と入植者との衝突と和解を歴史としながら国家として発展してきた。そのなかで、人間ならざる者である精霊たちは力を失うことなく土地とともにあった。岩のナルガン、こだまのバルイェット、超越的なグレイスという人外の霊たちが表象する先住民文化を外側に発見したライトソンと内側にあることに気づいたマクファーソンの立ち位置の相違は、そのまま、今後のオーストラリア児童文学の方向性を示唆しているのではないだろうか。

注

（1）Department of Foreign Affairs and Trade, “about Australia,” 在日オーストラリア大使館（https://japan.embassy.gov.au/files/tkyo/AAF2008_culture_j.pdf）［二〇二四年一月七日アクセス］

（2）Australian Bureau of Statistics, “Census of Population and Housing-Counts of Aboriginal and Torres Strait Islander Australians,” *Australian Bureau of Statistics*, 2021（https://www.abs.gov.au/statistics/people/aboriginal-and-torres-strait-islander-peoples/census-population-and-housing-counts-aboriginal-and-torres-strait-islander-australians/latestrelease)［二〇二四年一月七日アクセス］

(3) Maurica Saxby, "In Memoriam: Hans Christian Andersen winner (1986) and eminent Australian writer Patricia Wrightson, OBE 1921-2010," *Bookbird*, vol. 48, no. 3, 2010, p. 69.

(4) 牟田おりえ『ブッシュに消えた子どもたち――オーストラリア児童文学』（「子どもの本研究叢書」第十巻）、中教出版、一九八九年、一三二ページ

(5) "Winner of Hans Christian Andersen Award: Patricia Wrightson," *1986 Hans Christian Andersen Award Nominees*, International Board on Books for Young People, the Japanese Section of IBBY, 1986, p. 4.

(6) "About Patricia Wrightson," State Library of New South Wales (https://www.sl.nsw.gov.au/awards/patricia-wrightson-prize-childrens-literature)［二〇二四年一月七日アクセス］

(7) Clare Bradford, "Wrightson, Patricia," in Jack Zipes and et all. eds., *The Oxford Encyclopedia of Children's Literature*, Vol. IV, Oxford University Press, 2006, p. 202.

(8) 前掲『ブッシュに消えた子どもたち』一三四ページ

(9) パトリシア・ライトソン『星に叫ぶ岩ナルガン』猪熊葉子訳（児童図書館・文学の部屋）、評論社、一九八二年、一二ページ

(10) 同書一〇ページ

(11) Patricia Wrightson, *The Nargun and the Stars*, Puffin Books, [1973] 1975, p. 9.

(12) Krowathunkooloong Keeping Place Gippsland and East Gippsland Aboriginal Co-operative, "Den of Nargun," Bataluk Cultural Trail. (https://www.batalukculturaltrail.com.au/den_of_nargun.php)［二〇二四年一月七日アクセス］

(13) "Den of Nargun (Mitchell River National Park)," Parks Victoria. (https://www.parks.vic.gov.au/places-to-see/sites/den-of-nargun)［二〇二四年一月七日アクセス］

(14) 人間の女性であるイディも男性のサポートに徹している。イディは弁当や湯たんぽを用意し、ポトクーロック用にリンゴを一つ余分に入れるような無償の気遣いを示すが、それは彼女の「女らしさ」という性質で説明されてしまう。

サイモンとチャーリーはしばしば自分たちが語りたいことだけを語り、イディを心配させないためだといって情報の埒外に置く。ここから、ナルガン撃退のプロセスは白人男性の勝利というだけでなく、白人を含む女性の疎外でもあるといえる。

(15) 人間／男性優位の世界観のなかで、精霊の側にも人間との近しさを基準にした分断が起きている。ポトクーロックは人間の近くに生息し、緑色の皮膚をもち足に水かきがあり、トカゲのような金色の目をしているが、どちらかといえば姿形は人間に近い。自らの声では語りえないサバルタンとしての精霊を考えるとき、ポトクーロックは意図せずして人間への情報提供者になってしまうネイティブ・インフォーマントである。不思議な形態の水の精霊ツーロングや岩の精霊ナイオルらは得体の知れない異形のものとしてポトクーロックよりも人間世界から遠くにいて、ナルガンはさらにその外に押しやられている。彼らは、人間との見た目の近さと連動して階層化されている。

(16) Wrightson, *op. cit.*, p. 155.

(17) Clare Bradford, *Reading Race : Aboriginality in Australian Children's Literature*, Melbourne University Press, 2001, p. 52.

(18) *Ibid.*, p. 51.

(19) John Murray, "Inheriting the Land? - Some Literary and Ethical Issues in the Use of Indigenous Material by an Australian Children's Writer, 1960-1990," in Michael Griffith, Ross Keating, eds., *Religion, Literature and the Arts Project: Conference Proceedings of the Australian International Conference 1994*, Australian Catholic University, 1994, p. 282.

(20) 白人作家ジェイムズ・モロニーによるヤングアダルト小説『ダギー』（一九九三年。未訳）では依然として精霊的な世界と人間の世界が線引きされ、主人公のアボリジナル少年の心の不安定さが得体の知れない人外のものと共鳴する。レイシズムの恐怖と川に棲んで人を狙うという精霊ムーダグッダの恐怖が重なり合う点は、『ナルガン』で描かれる両親を失ったサイモンが感じる理不尽さとナルガンのエネルギーの重なりにも似ている。自然や土地に属する魂が個人の精神回復に利用されている点では、結局、白人中心主義的価値観が保たれているとみられ、ヨーロッパ文化とアボリジナル文化の混交には至っていない。

(21) パトリシア・ライトソン『いにしえの少女バルイェット』百々佑利子訳、岩波書店、一九九二年、一八三ページ

(22) Ethel Hassell, *My Dusky Friends: Aboriginal Life, Customs and Legends and Glimpses of Station Life at Jarramungup in the 1880's*, with the Introduction by Sara Meagher, C. W. Hassell, 1975, p. 128.

(23) 前掲『いにしえの少女バルイェット』一八五ページ

(24) 同書一五一ページ

(25) 同書一七七ページ

(26) Bradford, *op. cit.*, p. 94.

(27) Sue McPherson, *Grace Beside Me*, Magabala Books, 2012, "The Author."

(28) "Sue McPherson," Reading Australia. (https://readingaustralia.com.au/authors/sue-mcpherson/)［二〇二四年一月七日アクセス］

(29) Linda McBride-Yuke, "Journey of a Lifetime: From the Sticks to the State Library-An Aboriginal Editor's Story," *Journal of the Association for the Study of Australian Literature*, vol. 14, no. 3, 2014.

(30) 青山晴美『女で読み解くオーストラリア』明石書店、二〇〇四年、六四ページ

(31) McPherson, *op. cit.*, p. 182.

(32) *Ibid.*, p. 182.

(33) 前掲『女で読み解くオーストラリア』五七ページ

(34) 藤川隆男編『オーストラリアの歴史——多文化社会の歴史の可能性を探る』（有斐閣アルマ：Interest. 世界に出会う各国＝地域史）、有斐閣、二〇〇四年、一五ページ

(35) 藤川隆男『妖獣バニヤップの歴史——オーストラリア先住民と白人侵略者のあいだで』刀水書房、二〇一六年、四四ページ

(36) Lynne Hume, "Accessing the Eternal: Dreaming 'The Dreaming' and Ceremonial Performance," *Zygon*, vo.39, no.1,

2004, p. 256.
(37) ロバート・ローラー『アボリジニの世界――ドリームタイムと始まりの日の声』長尾力訳、青土社、二〇〇三年、七〇ページ
(38) 前掲『妖獣バニヤップの歴史』五五ページ
(39) McPherson, *op. cit.*, p. 44.
(40) *Ibid.*, p. 57.
(41) *Ibid.*, p. 46.
(42) *Ibid.*, p. 199.
(43) *Ibid.*, p. 217.
(44) 宮崎麻子「記憶を紡ぎ出す夢想・物語　P・ライトソン」、神宮輝夫／早川敦子監修『歴史との対話――十人の声』所収、近代文芸社、二〇〇二年、五七ページ
(45) Clare Bradford, "The Making of an Elder: Patricia Wrightson and Aboriginality," in Robin Pope, ed., *Children's Literature Matters*, Australasian Children's Literature Association for Research, 2001, p. 4.

［付記］本章の一部は、二〇二三年六月十七日に神奈川大学でおこなわれたオーストラリア学会二〇二三年度第三十四回全国研究大会のシンポジウム「オーストラリア児童文学と日本」での報告をもとにしている。

第7章　モクモク村のQちゃん

——「野性」と「男性性」のクィア・リーディング

菅沼勝彦

はじめに

本書のテーマであるジェンダーと動物の関係を考えることは、人間と動物の関係を考え直すことでもある。その際に大切なのは、「人間」と「動物」という二項軸によって「人間」側のジェンダーを画一化しないことである。多数派に属さないジェンダーやセクシュアリティによって正当な人間として認められてこなかったクィアが私たちの過去に、そして現在も、存在しつづけているからだ。クィア研究の学術誌 *GLQ* の二〇一五年の特集号でその編者は「クィアはこれまで一度でも人間であったことがあるか」と問い、自然環境の変化などに後押しされ、人間社会の傲慢や横暴が与える非人間界への影響に注目しはじめた学問領域とは異なり、クィア研究はその出発点から人間という概念の構築のされ方やそれに付随する権力関係を批判視してきたと訴えている。(1)

クィア理論家として著名なジャック・ハルバースタムは、二〇二〇年に出版した著書 *Wild Things*(2) でクィア的なものと「野性的（wild）」なものとの相関性に注目し、その視座こそが人間社会の排他性や自然に対する横暴を省みる契機をもたらすと提起している。タイトルにある「Wild Things」は、モーリス・センダックの絵本 *Where the Wild Things Are*（一九六三年。日本語版は『かいじゅうたちのいるところ』冨山房）から想起されている。日本語では「かいじゅうたち」と訳されているセンダックの「Wild Things」とは、母親のしつけに閉口して家を出た主人公の少年マックスが外に広がる想像空間で出会う得体の知れない生きものたちである。そこでマックスは、異性愛至上主義の象徴でもある家の空間では経験したことがない自分を、その「野性的」な者たちとの遭遇を通して探求する。同性愛者でありユダヤ人移民の息子としてアメリカで育ったセンダックの経験自体が、この作品に影響を及ぼしていることは想像に難くない。[3] マックスは絵本の最後に「Wild Things」が暮らす想像界を離れて母親の待つ家に帰るのだが、ハルバースタムは「wild」なものが生息するところとそうでないところの関係性や連続性をクィア理論を介して注視しつづけることの必要性を訴えている。[4] 言い換えるならば、人間という狭義に定義された概念が内包しきれない欲望やアイデンティティを見つめ直すことで人間という概念の恣意性を暴く必要があり、その手段としてクィア理論は有効だと述べているのである。[5] そのためハルバースタムは「フェロックスの認識論」という修辞とともに、「wild」と「human」との間の二項対立軸の不完全さを指摘し、その混沌にこそ新たな知を見いだせるとする。[6]「フェロックス」はラテン語の「野性」と英語の「feral（野性化した）」に由来し、またその修辞はクィア理論家として著名なイヴ・セジウィックによる「クローゼットの認識論[7]」という概念を応用したものでもある。セジウィックの理論は男性同性愛がホモ／ヘテロの二項軸によって沈黙させられることを説明するだけでなく、「その定義が内包する矛盾や非一貫性に着目し、この矛盾や非一貫性に対して制裁を図るのではなく、むしろそれらの有するパフォーマティブな効果を明らかに[8]」している。それにならって、ハルバースタムの「フェロックスの認識論」は、人間／動物、または文明／野性という二項軸が示す不安定さを、ジェンダーやセクシュアリティを通して分析し、そこに人間や文明の優位性自体を懐疑視する効果を期待しているといえるだろう。

ハルバースタムがセジウィックに代表されるクィア理論を応用し、センダックによる男の子を主人公とした童話から着想を得て「フェロックス」を分析したように、本章では日本の男の子を主人公とした紙芝居『モクモク村のけんちゃん』における「フェロックス」的な存在を、セジウィックによる「クィア・パフォーマティヴィティ」という概念を借用することで見いだしてみたい。セジウィックに代表される脱構築的なクィア理論を人間中心主義（anthropocentric）の批評にまで延長したハルバースタムの「フェロックス」分析を、日本の男性性を扱った物語を対象におこなった研究は決して多くないだろう。また、紙芝居『モクモク村のけんちゃん』に関する学術論考は、筆者が知るかぎりでは見当たらない。そのため、本章ではそれぞれのテクストや理論に関して詳細にひもときながら論を進めていくことにする。

1 『モクモク村のけんちゃん』

『モクモク村のけんちゃん』（以下、『モクモク村』と略記）は一九七〇年代に日本ブリタニカから発売された、当時人気を博した紙芝居英会話教材である。英会話教育という異文化理解を促すものに日本の伝統文化である紙芝居を組み合わせた、いわばハイブリッド教材だった。カセットテープに録音された音声を聞きながら、「ポン」という弾みのいい合図とともに木箱のなかに用意した紙を一枚ずつ抜いて物語を追う形式になっていた。子ども向け教育メディアとしての紙芝居の歴史は戦前にまでさかのぼり、戦時下では国家主義的な言説やプロパガンダの流布にも大きな役割を果たしたとされる。(9) 伝統的な紙芝居では語り手の裁量が欠かせないが、それが英会話教材になれば、語り手の英語も流暢でなければならないのは必至だ。その課題は録音した音声を用いることで克服し、人気商品になったのが『モクモク村』だった。

無論、この紙芝居が発売された当時はすでに、「紙芝居おじさん」と呼ばれる芸人が砂糖菓子を売りに近所にやってくるような時代ではなかった。砂糖菓子で子どもたちの興味を引くわけでもなく、ましてや外国語教育という娯楽からは縁遠い目的をもっていた『モクモク村』にどうしてそこまで人気があったのだろうか。紙芝居という形式がもつ珍しさや玩具感覚があったこともあるだろうが、当時多くの子どもたちを夢中にさせた理由の一つに物語そのものの力があったように思う。二〇〇〇年代に入ってからもCD－ROM、音声CD、携帯アプリ、DVD仕様などの様々な復刻版が発売され、世代を超えて現在に至るまで親しまれている。

『モクモク村』の基本的な物語構成は、少年が冒険に出て悪を退治するという英雄譚と勧善懲悪がかけあわさったものだ。あらすじは次のように要約できる。けんちゃんが暮らすモクモク村の環境が遠くから流れてくる真っ黒な雲や川の水によって悪化してしまったため、その原因を突き止めるべくけんちゃんは旅に出る。黒い雲や水が流れてくる方向へ進むけんちゃんは魔法の国にたどり着き、空気や水を汚しているのは魔王だと知る。最後は魔王を退治し、モクモク村の環境は改善する。日本でよく知られている昔話の「桃太郎」を彷彿とさせるあらすじであることは誰でも気づくだろう。桃太郎は、犬や猿などの忠実なお供を連れて鬼退治に挑んだ。けんちゃんも同様に、魔法の国で擬人化された大木のビックや大岩のウォルターに助けを借りながら魔王退治を成功させる。とはいえ、けんちゃんの冒険でいちばん大きな役割を果たすのが九官鳥の九ちゃんである。あとで述べるように、本章の分析にはこの九ちゃんが大きく関わってくる。

九ちゃんは、けんちゃんが魔法の国に足を踏み入れたときに登場するキャラクターである。まるでルイス・キャロルの『不思議の国のアリス』（一八六五年）に出てくるウサギの穴のオマージュであるかのように、けんちゃんも洞穴に転げ落ち、光が差す出口をくぐり抜けて魔法の国に到着する。魔法の国では英語が使われているため、けんちゃんは九ちゃんの手ほどきを受け、英会話を習得しながら魔王が住む城をめざすことになる。前述した大木や大岩などとの出合いを通して、挨拶や自己紹介などの初級英会話を、九ちゃんというチューターを通して学べるようになっている。冒険心を掻き立てる展開と、魔王の正体を突き止めるサスペンス要素があり、視聴者の興味を英会話に引き付ける構成をもつ教材なのである。

主人公のけんちゃんが桃太郎をプロトタイプにしていることもあり、彼が表象する男性性は物語の終盤を除くとおしなべて保守的で強制異性愛制度に対して従順なようにみえる。次節で詳しく分析するが、物語の大半でけんちゃんは、他者との遭遇を通して自己に変化をもたせるといった柔軟性を備えていない男性性の象徴として捉えることができるキャラクターである。本章ではけんちゃんが体現する男性性の問題点を指摘する一方で、そのほかの主要キャラクターの分析を通してハルバースタムが唱える「フェロックス」的な男性性のあり方を模索している。セジウィックが理論化した「クィア・パフォーマティヴィティ」を応用しながら九官鳥の九ちゃんという存在を読み解くことで、『モクモク村』という紙芝居が規範的な男性性を強化するだけでなく、それを解体する「wild」な存在を描いたテクストであることを論じたい。

2 セジウィックと「クィア・パフォーマティヴィティ」

『モクモク村』の分析に入る前に、セジウィックの「クィア・パフォーマティヴィティ」についてふれておく。男らしさや女らしさを含むジェンダーの構築は、そのパフォーマティヴィティ（行為遂行性）が幾度となく反復されるがゆえに本質化を図っているものだと、ジュディス・バトラーをはじめとするクィア理論家は訴えてきた。(10)セジウィックはジェンダーにおけるこのパフォーマティヴィティの概念に空間的な視野を付け加えて発展させたのが、セジウィックである。(11)ジェンダーを含む社会的規範は、単にその行為者による発話や行動の反復だけで強化されるわけでなく、それを目撃し承認を与える聴衆を含む周辺空間によっても左右されるものであり、セジウィックはその作用を「劇場的パフォーマティヴィティ（theatrical performativity）」と名付けた。[12] つまり社会のなかで規範に沿う行為というのは、劇場のなかで観衆の期待どおりに演じようと試みる俳優やダンサーの境遇に近いともいえる。またそれは、その場の空間や目撃者の反応によって規範自体の輪郭がより強化されるということも意味している。

したがって観衆の期待どおりに演じることができない俳優は冷嘲され、いずれキャスティングされることもなくなるだろう。社会規範を反復しない者は「劇場的パフォーマティヴィティ」の作用によってその空間から排除されていく。セジウィックは、そのような空間で目撃者からの肯定と共感を得るのに失敗することによって生じる情動を「恥（shame）」と呼んだ。[13] したがって、その「恥の解決」（あるいは解消）を欲し、人々は常日頃から空間のなかで認められるよう努力している（させられている）のである。[14] では、この文脈でセジウィックが概念化する「クィア・パフォーマティヴィティ」とはどのようなものか。それはある空間で辱められ切り捨てられる運命にある自らの恥部をあえて認め、それから距離を置くのではなく寄り添うことで、むしろ規範自体を攪乱しようとするパフォーマティヴィティと解釈できる。[15]

しかしセジウィックの「クィア・パフォーマティヴィティ」で注目すべきは、その情動が批判対象とする社会規範や習慣を完全に拒絶したり、あるいはそれと絶縁したりするなどといった極端な抵抗手段をとるわけではない点だろう。「恥」の情動は、自分が興味があったり引かれたりする対象から否定されることではじめて喚起されると、セジウィックは理解しているようだ。したがって嫌悪や侮蔑とは異なり、「恥」の場合は辱められた対象（社会規範）に対して微妙な親密さをその後も保持しているのだと、セジウィックは強調する。[16] つまり「恥」によって自らの個性やユニークな性質を排除し規範と同化するのではなく、「恥」を契機に「普通」という概念に収まらないクィア的な自己を認識し、さらにはその認識を肯定しながら付かず離れずの距離感で社会空間に関わるさまが「クィア・パフォーマティヴィティ」の作法とまとめることができるだろう。本章の『モクモク村』

の分析でも、この「クィア・パフォーマティヴィティ」の概念を基調に進めていきたい。特に、帰属領域の間を渡り歩く男性性をハルバースタムが提唱する「フェロックス」的なあり方として言語化するのには、セジウィックの理論は有益なのである。

3 けんちゃんと魔王の男性性

けんちゃんは魔法の国で新しい出会いを重ねながら英会話術を上達させていく。しかも道中出会う妖精や擬人化された自然物たちの信頼を勝ち得ながらである。魔王が住む城に向かうのは危険だと忠告されるが、けんちゃんの意志は固く冒険は進んでいく。城に近づく者をはばむ魔王による様々な仕掛けを乗り越え、けんちゃんは九ちゃんとともについに目的地に到達するのである。城にある実験室を恐る恐るのぞき込んだけんちゃんは、そこではじめて魔王を目にすることになる。実験室の魔王は、妖精の国で蟻のしもべたちに伐採させたバラの花を、鍋で液体と混ぜて熱することで宝石を作り出していた。その工程で出る大量の排気と汚水が遠いモクモク村へと流れ込んで、村を汚していたことがわかるのである。

実験室の格子窓から様子をうかがっていたけんちゃんは、蟻の門番に見つかり捕まってしまう。魔王と話がしたいと訴えたけんちゃんは魔王の間に通され、いよいよ対面のときを迎える。魔王のいでたちは、濃い藍色のローブとマントに身を包み三角帽子をかぶり、わし鼻で牙のような歯をしている。指の爪は長く先端が鋭く尖っていて、とんがりブーツを履き、いかにも魔法使いという外見をしている。魔王が座る椅子や部屋には実験室で作られた様々な色に輝く宝石がちりばめられている。声のトーンや一人称が「わし」であることから魔王は男性だろうと想像されるが、宝石や美への執着、そして着飾ったいでたちからドラァグ・クイーンのようにも見受けられる。魔王は明らかに男性のジェンダー規範を逸脱した存在として描かれているのだ。

魔王は、けんちゃんに英語で自分の城へ乗り込んできた理由を問いただす。これまでの経緯を魔王に伝えようとするけんちゃんだが、すべてを英語で説明するだけの語学力はまだ備わっていない。けんちゃんの帽子のなかに身を隠している九ちゃんがこそこそと訳してくれるものの、ついに言葉に詰まってしまったけんちゃんに魔王は日本語で話し始めるのだった（正確にいえば、けんちゃんが母語とするモクモク村の公用語が日本語なのだが）。驚くけんちゃんだったが、そのとき魔王が告白することが、この物語で最も衝撃的な事実なのである。それは魔王がモクモク村出身だという告白だった。いまでは魔法の国の誰からも恐れられている魔王は、もともとはモクモク村の住民だったのである。では、なぜ魔王はモクモク村を離れ、魔法の国にやってきたのか。そしてモクモク村だけでなく、魔法の国自体の環境汚染につながるようなことをしているのか。

魔王はモクモク村の環境の悪化を嘆いている住民のことを「いい気味だ[17]」と言い放つ。自業自得だとけんちゃんに訴えるのだ。魔王は以前モクモク村に住んでいたころ、廃棄物で山や川を汚す村民に自制するよう呼びかけた。しかし魔王の呼びかけに耳を貸す者はいなかった。一人村を出ていった魔王は、魔法の国にたどり着き、英語を覚え魔法も体得して、現在のようになったのである。けんちゃんは、過去はともあれ、いまはモクモク村の住民たちが困っているので魔法で宝石を作ることをやめてほしいと訴えるが、魔王はその願いを拒絶し、今後も魔力を使って好きなように生きていくと断言する。高らかにあざ笑う魔王を見たけんちゃんは、「あなたは気ちがいだ[18]」と言って魔王を責める。

けんちゃんが魔王に向かって言った「気ちがい」という言葉は、現在は使用を控えるべき用語にあたるだろう。常軌を逸していて、「普通」あるいは「通常」ではない状態だという意味であり、精神に疾患を抱える人をさげすむ「差別語」だと認識されるからだ。とはいえ、魔王はモクモク村で「他者」だったことがうかがえる。人間による経済活動がもたらす環境汚染に一人だけ反対していたために村八分にされたのであり、共同体の常識からすれば「wild」あるいは「フェロックス」と目される存在だったのである。しかし皮肉にも、魔法の国の魔王になった彼は環境を汚染する側の主犯になってしまった。どうして魔王はまたしても「他者」（しかも迷惑がられ嫌われる「他者」）になってしまったのか。自然を思いやる心の持ち主だった若かりしころの魔王が、なぜ魔法の国では同じく自然を大切にする生きものたちと和やかに暮らすことができなかったのだろうか。

その謎の答えは『モクモク村』のなかでは明確に示されない。主人公であるけんちゃんの目的はあくまでも魔王を退治し、村の環境汚染を解決することでしかない。魔王がどうして環境を汚染しつづけるのか、なぜ魔法の国の住民とうまく共存できないのかという問いには興味を示さず、「気ちがい」と言って魔王を突き放すだけなのである。けんちゃんという主人公は「他者」の存在理由には興味さえないようにみえる。あるいは、主人公けんちゃんと自己同化している紙芝居の聴き手たちも、それによって「他者」の境遇をおもんぱかる契機を失ってしまうのかもしれない。この紙芝居では、登場人物以外に第三者としてナレーションの声が存在し、従来の紙芝居の語り手の役割を果たしている。しかし、そのナレーションからも魔王の変貌をめぐる謎が解き明かされることはない。

「気ちがい」と言って突き放された魔王の運命はすでに決まっている。桃太郎がお供と力を合わせて鬼を退治したように、けんちゃんも魔王を死に追いやる。大木のビックの力を借りて牢獄から抜け出すことに成功したけんちゃんは、魔王の城の高くそびえ立つ煙突の穴に大岩のウォルターを押し込んで、煙を詰まらせる。瞬く間に実験室は逆流する煙に巻かれ、そこから逃げ出そうとした魔王は自分のマントに足が絡み、城の高層階から転げ落ちて死んでしまう。

男子を主人公とする英雄譚では、環境の変化に関わりなくヒーローが常にヒーローであり続けることは珍しくない。「桃太郎」が代表するように、桃から生まれた桃太郎は生まれたときから強く、鬼ヶ島に行ってもそれは変わらない。つまり普遍性を備えた存在なのだ。『モクモク村』でも、この定式に当てはまることは、これまでの議論からもうかがえる。

主人公であるけんちゃんの魔王に対する優位性は、ジェンダーの要素からもはっきりと表現されている。けんちゃんは野球帽をかぶり、ポロシャツにジーンズという典型的な男の子の姿をしている。手にしている武器も木の枝で作られたY字パチンコというジェンダー色が強いアイテムである。旅の途中、妖精が住む村で少女に出会うが、彼女に一目惚れする場面まであり、強制異性愛者としてのキャラクターであることがわかる。翻って魔王は、前述のとおり着飾ったいでたちで宝石などの絢爛としたものを好み、ドラァグ・クイーンを彷彿とさせる外見といえる。魔王の死に方も、自らの衣装の袖をドラァグしながら（引きずりながら）歩いていたことによる城からの転落である。これにはジェンダーをドラァグしたことへの罰を受けたという解釈さえ成り立つようにみえる。

このように一見ヒーローの普遍性が画一化されていると思われる物語のなかでは、そのキャラクターが何かに気がつくこと、あるいは自身とは異なる「他者」を受け入れることはきわめて起こりにくい。けんちゃんは基本的に、他人の目に自分がヒーローとして映っていることを確信していた。そしてそう見なさない者はみな、自分にとっては不都合な「他者」になる。先に言及したセジウィックの議論を援用するなら、「劇場的パフォーマティヴィティ」を強引に遂行しているヒーローということもできる。つまり、けんちゃんはモクモク村と魔法の国という異なる空間のいずれでも、観衆が自分をヒーローと見なしてくれることを前提として発話し行動しているといえよう。その過程でけんちゃんが規範と自己との間に生じる「恥」を認知し、「クィア・パフォーマティヴィティ」を発動させ規範自体を懐疑的に見直すような姿勢は、物語の終盤になるまでほとんど示されない。どのような空間でも観衆の共感を得ていると傲慢にも信じきろうとする、ある意味で自己中心的でありながら他者依存が強い存在なのである。

では魔王はどうだろう。魔王は、モクモク村の環境汚染に警鐘を鳴らしたが、誰からも相手にされなかったため村を去った。したがって、彼ははじめは「恥」を抱えた「フェロックス」的な存在だったことがうかがえる。そして「恥」を抱えながらモクモク村の規範に懐疑の目を向け、その変革のために発言し行動した。彼は当初は「クィア・パフォーマティヴィティ」を実践していたのかもしれない。しかしながら彼はモクモク村の空間での「クィア」的あるいは「フェロックス」的な自己実現に見切りをつけ、魔法の国という新たな空間に自らの居場所を求めることを選んだ。

そして前述したとおり、語られない何かの理由によって、魔王は魔法の国でもまた村八分的な扱いを受ける存在になってしまった。その理由を紙芝居に描かれている表象を分析することで推測することは可能だろう。例えば、人間の姿をした英語を話す妖精たちは、みんな金髪に青い目、肌は桃色がかった白で、典型的な白人の容姿である。そのなかに有色人種は一人としていないのである。そんな魔法の国の妖精たちは、自分たちの共同体を「妖精の国」と呼び、ある種の排他性さえ感じさせる。けんちゃんは旅の途中で妖精たちから友好的にもてなしを受けたが、それはあくまでさすらいの旅人としてであり彼らと同化できたわけではない。そう考えると、魔王は実は英語を話す白人系の妖精らから人種差別を受けたのではないかという解釈も、成り立つかもしれない。少なくとも妖精らの輪には入れなかった（あるいはなじめなかった）ことは確かなのである。この推測が正しいかはさておき、ここで重要な点は、魔王が魔法の国で疎外されたとき、彼は「恥」を受け入れ「wild」で「フェロックス」な存在でいようとしなかったことである。

魔法の国で「劇場的パフォーマティヴィティ」の作用で「恥」を負わされた魔王は、「恥」を解消するために称賛してくれる客が来ない劇場の客席を魔法の力で埋め尽くすという強引な手段に出て自滅したといえるだろう。魔法を使って蟻たちを下僕にし、自分を王と呼ばせ、植物を伐採し作り出す宝石の数々で自分を飾り立てた。これは他人から承認を得ることができない自分を輝かせるための行為だったとも捉えられるだろう。動物や植物などの「wild」をコントロールしようとしたのは「フェロックス」とは相いれない行動である。そしてモクモク村の環境汚染につながる行為を続けることで、復讐するかのように自らの影響力を誇示したと考えられる。雲に届くほど高くそびえ立つ城の煙突も魔王の自己顕示欲を示すファラス的な象徴だといえる。幾重にも重なった「恥」のレッテルを必死に剝がそうとした魔王は、自らが属していた人間社会を離れて野性的な空間に移動したあとも、同化することに躍起になるあまり自滅していく男性性を体現しているようにみえる。他者からの承認や共同体への帰属を望み続けたことが招いた悲劇ともいえるかもしれない。ファラスとしての城の煙突も、社会規範の象徴であるけんちゃんには凌駕されてしまう。「劇場的パフォーマティヴィティ」に際して観客がいない魔王は必ず観客に支持されるけんちゃんにかなうはずがないのである。

このようにけんちゃんも魔王も、異空間（文化）にまたがる男子像の文脈で、セジウィックがいう「劇場的パフォーマティヴィティ」の実践や応用は読み取れたものの、規範自体を攪乱する「クィア・パフォーマティヴィティ」のそれはほとんど抽出できなかった。しかし、『モクモク村』という紙芝居にはけんちゃんとも魔王とも違う「フェロックス」的な男性性のあり方を内包している登場人物（動物）がいる。その登場人物がどのようにして「クィア・パフォーマティヴィティ」を体現しているかについて次節で論じてみたい。その作用によって物語の終盤ではけんちゃんの「他者」を許容しない姿勢にも何らかの変化が生まれた可能性があることも、考察していきたい。

4　モクモク村のQちゃん

九官鳥の九ちゃんは『モクモク村』には欠かせないキャラクターである。九ちゃんの協力なくしてけんちゃんの冒険は成り立たないからだ。そもそも、英会話教材としてのこの紙芝居では九ちゃんがチューター役を務めているのだからそれも当然といえる。けんちゃんの声優は藤子・F・不二雄原作『ドラえもん』のアニメ版でのび太の声を担当していた小原乃梨子であり、九ちゃんとけんちゃんの関係はドラえもんとのび太の関係に似ているようにもみえる。ただし、ドラえもんは二十二世紀に暮らすのび太の子孫であるセワシがのび太の世話役として送ってきたロボットというように、素性がはっきりしている。それに対し九ちゃんは、物語のなかでは全く素性がわからない謎の存在なのである。おとぎ話には、物語の展開を促す不思議な力をもったキャラクターが現れることがよくある。例えば、「シンデレラ」でも魔法使いの仙女のおかげでシンデレラは舞踏会に出席し、王子と出会うことができた。グリム童話では「賢女」と分類されるキャラクターであり、主人公を貶める目的で魔力を使う「魔女」とは異なり、苦難や危機から逃れるための助け舟を出すことで知られている。(19) 九ちゃんも、けんちゃんにとっては「賢女」のように冒険を展開させるのに不可欠な存在なのである。

転げ落ちた洞穴から抜け出して魔法の国にたどり着いたけんちゃんを偶然出迎えたのも九ちゃんだった。「偶然」もまたおとぎ話にはつきものだ。主人公やヒーローが内包する正義の必然性を担保するために「偶然」がしばしば利用される。しかしながら、あまりにも不可解な偶然が九ちゃんには付与されている。それは、この紙芝居でも重要なテーマになっている言語に関する偶然である。

魔法の国の住民でモクモク村の言語（日本語）を話せる登場人物が魔王であることは前述したとおりである。しかし、通訳としての役を果たしている九ちゃんもまた、モクモク村の言語を完璧に話している。九官鳥は人が発する声や音をまねる特殊な能力をもっているとされるが、初めて会うモクモク村出身者とすぐに会話を成立させることはふつうは不可能だ。では通訳も魔法のなせる業なのだろうか。しかしそもそも魔法で通訳が可能なら、魔法の国の住民はみんなモクモク村語を理解できることになり、けんちゃんが英語を学習する必要はない。それではこの紙芝居が英会話教材として成り立たないことになる。そこで、この矛盾を解くのに可能なもう一つの解釈が浮かび上がってくる。それは、九ちゃんもまたモクモク村出身者だったという仮説である。この仮説には根拠になるいくつかの文脈がある。一つは、九ちゃんも魔王同様モクモク村語を熟知していたこと、そして、けんちゃんと知り合う前からモクモク村の所在を知っていたことである。実際に、九ちゃんはけんちゃんと出会って名前を聞いた瞬間に「あれれ、やっぱり君は、山のふもとのモクモク村の子だな」[20]と言い当てている。また物語の最後に、モクモク村の住民はけんちゃんを地元の英雄としてたたえるために彼の石像を設置するのだが、その像の肩には九ちゃんも刻まれているのである。まるで九ちゃんのことをもともと知っていたかのようである。紙芝居の最後のナレーションも九ちゃんの素性を暗示するかのようである。

みなさんもこの村にくると、肩に鳥のとまった、かわいい石の記念碑が立っているのに気づかれることと思います。なぜだか、おわかり、い、い、い、でしょう？[21]

もちろん、これらのことだけでは九ちゃんがモクモク村出身だという解釈の証左にはならない。しかし、九ちゃんがモクモク村の出身であるという仮説に立つことで、九ちゃんはけんちゃんや魔王とは違い、ハルバースタムがいう「フェロックス」的な男性性を提示できると考える。九ちゃんをセジウィックが説く「クィア・パフォーマティヴィティ」を体現するクィア的な存在、「Q（-ueer）ちゃん」として捉え直してみたいのである。したがって、以下では九ちゃんがモクモク村出身者だと仮定して議論を進めていくことにする。

九＝Qちゃんと「クィア・パフォーマティヴィティ」

九ちゃんが故郷のモクモク村をあとにし、魔法の国に移り住んだ理由は定かでない。しかし魔王に対する扱い同様、モクモク村には「黙々《もくもく》」村と言い換えることができるほど少数派の意見をことごとく黙殺してきた歴史があったのだとすれば、九ちゃんも何らかの理由で多数派に属さない性質をもっていたと仮定できる。九ちゃんは動物なので、環境汚染が進んだ村では生きにくかっただろう。もともと暮らしていた環境を離れて違う土地に移り、努力によって現地の言語も習得したと思われる九ちゃんは、そこまでの過程では魔王と同じだといえる。しかし、魔法の国で九ちゃんを悪く言ったり恐れたりする者はいない。一方で魔王は魔法の国の住民を恐怖に陥れていた。それとは異質にみえるのが、魔法の国に移り住んだあとの九ちゃんの暮らしぶりである。

九ちゃんは、魔法の国ではいわゆる単身者である。群れに属さない存在なのだ。大木のビックはほかの木々たちとともに緑豊かな森で暮らしているし、大岩のウォルターも岩肌が目立つ場所に住んでいる。金髪で青い目をした妖精たちも、王様を長とする共同体のもとで生活している。それに比べて、九ちゃんは誰からも一定の距離を保っているのだ。けんちゃんの冒険の目的を果たすために手助けを引き受けるものの、目的が果たされたあとはそのパートナーシップを速やかに解消している。魔王の死によって自然環境の改善が期待されるモクモク村へ帰るけんちゃんを追いかけたりもしない。九ちゃんの帰属にこだわらない性格は、陸から離れて空を舞う鳥というキャラクターにも体現されているといえるだろう。紙芝居に登場するほかのキャラクターたちの生活圏が陸に根ざしているのとは対照的だ。その意味でも九ちゃんは「浮いた」存在なのである。まさにハルバースタムがいう「閉じ込められていない」「飛ぶことに焦がれる」存在としての「フェロックス」を彷彿とさせる。(22)

このどこか「浮いている」、あるいは場所に「なじんでいない」感覚は、セジウィックが強調する「恥」を抱えたまま社会の規範との関係を模索していく「クィア・パフォーマティヴィティ」の要素と類似している。どこかになじむということは、ある程度その場所に居座り、周りからも違和感なく認知され、「当たり前」になっていくことでもある。男らしさや女らしさの構築も、長い間繰り返し、なじませることで本質化を図るものだと考えられることはすでに述べたとおりだ。(23)これは性的指向という概念にも同様に応用できる。性的指向は英語で「セクシュアル・オリエンテーション（sexual orientation）」というが、異性同士が対になって結ばれるよう周到に仕組まれた文化行事、すなわちオリエンテーションは私たちの人生にあふれている。(24)その過程に帰属欲求がどのように強く作用しているかは、いうまでもない。

もちろん、この帰属意識の統率は社会の多数派だけに機能しているわけではない。マイノリティのコミュニティ自体が多数派に「なじんで」いき、「浮いた」存在から同化する過程では、「恥」に基づく「劇場的パフォーマティヴィティ」が強く作用していることは、セジウィックの議論を通してみてきたとおりだ。九ちゃんもモクモク村を離れたあと、魔法の国のマジョリティ・グループやほかの共同体に同化しても何らおかしくなかった。それどころか同郷の魔王と手を組むことも可能だっただろう。魔法の国で唯一モクモク村語で会話ができる相手なのだからありえないことではない。実際、九ちゃんは魔王のことをよく知っていた。けんちゃんがモクモク村が抱える問題に言及した際、九ちゃんはそれが魔王の仕業によるものだとすぐに断言できるほど詳細に魔王の行動を把握していたのだ。まるで、過去に二人の間で何らかの交流があったかのようである。しかし、魔王とは対照的に、九ちゃんは個として「浮いた」存在であり続けた。他者を拒絶することもなく、無理に密につながることもない九ちゃんのあり方は、「浮いた」存在でいつづけることに耐えきれず他者との接触を避け、自らの城を築き上げることで絶対の安住を求めた魔王とは相反する。

「クィア・パフォーマティヴィティ」とは、「恥」を契機に批判対象となった社会規範や習慣を拒絶し、それから絶縁することではないということはすでに述べた。この概念は、魔法の国での九ちゃんとけんちゃんの距離感によく表れている。何らかの「恥」を抱え、魔法の国という異空間に越してきた九ちゃんは、そこでけんちゃんというモクモク村の人間関係を象徴する存在と関わることになる。以前とは異なり「環境を汚すな」という考え方が少数派だけでなく多数派の意見にもなりつつあるため、けんちゃんというキャラクターが「劇場的パフォーマティヴィティ」の文脈で観衆の圧倒的多数から支持されている存在であることは確かである。そんなけんちゃんとさえ歩み寄ることができる九ちゃんには、自分に「恥」をかかせた人間界とのつながりを保とうとする姿勢が明らかに見て取れる。しかしそれは「恥」の解消のために過去に辱められた「自己」を規範と同化させるようなものではなく、微妙な距離を保ちながら規範自体を攪乱する「クィア・パフォーマティヴィティ」を遂行しつづけるためのものだった。

このことは九ちゃんとけんちゃんの会話にも顕著に表れている。紙芝居の全体を通して、けんちゃんは自分が言いたいことや聞きたいことをすべて九ちゃんに翻訳してもらっている。しかし九ちゃんは決してけんちゃんのかわりにしゃべったりはしない。けんちゃんが言おうとしていることを英語に言い換えてけんちゃんに伝えているだけである。魔法の国で出会った者と直接英語で会話をしたのは、ほぼすべての場面でけんちゃん自身なのだ。九ちゃんが英語ですべてを代弁すれば最も効果的にコミュニケーションがとれる。にもかかわらず、九ちゃんはそうはしなかった。したがって九ちゃんはけんちゃんと冒険をともにしたものの、自らの「主体《私＝I》」の輪郭をあらわにすることがない存在だったと理解できる。その姿勢は両者の出会いの場面にも示されていた。魔王の城をめざしたいという強い意志と使命感をもって突き進むけんちゃんに対し、九ちゃんは危険が伴うことなので断念するよう諭した。それを聞き入れる様子を見せないけんちゃんを見かね、そこまで決意が固いのならと九ちゃんは同行することにしたのだ。ここでの二人のやりとりが象徴するように九ちゃんは常に一定の距離を保っている（「クィア・パフォーマティヴィティ」を体現している）ようにみえる。言い換えれば、二人は決して一心同体にならず、また離れすぎることもない。けんちゃんが人間の象徴なら、九ちゃんは「フェロックス」の象徴であり、両者は互いに触発しあっているのである。

九ちゃんが自らの「主体《私＝I》」の輪郭を現すことがない存在であることを鮮明に示すシーンがこれ以外に二カ所ある。一つは、すでに言及した、けんちゃんが魔王を「気ちがい」と非難するシーンだ。セジウィックがいう「劇場的パフォーマティヴィティ」で多くの観衆から承認されることを疑わないけんちゃんが魔王を辱める場面でもある。マジョリティがマイノリティを掌握するこの場面で九ちゃんはどういう行動をとったのかといえば、けんちゃんと魔王が初めて対峙した際は、前述したとおり九ちゃんはけんちゃんの帽子のなかにずっと身を隠していた。そしてけんちゃんが魔王とモクモク村語で会話をしはじめ、魔王を「気ちがい」と呼んだときも、九ちゃんは沈黙を守っていたのだ。この象徴的なシーンで、実際にも、そして比喩的にも、九ちゃんは自らの「主体《私＝I》」の輪郭をあらわにしなかったのである。

　けんちゃんの帽子からはみ出ていた九ちゃんの尻尾に気がついていた魔王は、手を伸ばして九ちゃんの正体を暴くかのように捕まえようとする。これはいわば九ちゃんにカミングアウトを迫る瞬間なのだが、そのとき九ちゃんがとった行動はきわめて象徴的だ。彼はその場から飛び去って逃げたのである。その場を立ち去るということは、けんちゃんの発話行為が示す「劇場的パフォーマティヴィティ」の掟によれば「恥知らず」とも見なされる行動である。一般的にも「男のくせに逃げるのか」という非難はよく耳にする。もちろん九ちゃんが魔王の手から逃れることで、その後牢獄に閉じ込められることになるけんちゃんを救い出すために大岩のウォルターや大木のビックなどの助っ人を呼び寄せることが可能になるのだが。ここでもまた九ちゃんは、前述した童話に登場する「賢女」の役に徹しているといえるだろう。榎本浩司が指摘するように、グリム童話に登場する「賢女」は悪と直接対峙することはなく、あくまで助け舟を出すだけで最終的には主人公自身が苦境を乗り越えなければならないように設定されている。[25]九ちゃんもまた、自ら「主体《私＝I》」としては行動せず他者を介在しながら間接的にけんちゃんを見守っていると解釈できる。いずれにせよ、九ちゃんは魔王を「気ちがい」と突き放す局面から距離を置こうとしているようにみえるのである。

　二つ目のシーンは魔王を死に追いやる瞬間である。魔王の実験室から立ちこめる煙を止めるために大岩のウォルターを背負って煙突によじ登っていくけんちゃんと、魔法で風を起こして吹き飛ばそうとする魔王は最終決戦を迎える。結果は前述のとおり魔王の敗北に終わるが、この魔王を断罪する場面でもなお九ちゃんはある程度の距離を保って不参加の立場を貫いているようにみえるのだ。実際、九ちゃんはこの決定的なシーンに登場しない。煙に巻かれてもがき苦しむ魔王の目をくちばしで突き刺すなどして魔王退治に参加していれば、九ちゃんはけんちゃんが体現する社会規範を遂行することで「劇場的パフォーマティヴィティ」に同化し、自らの「恥」を払拭することができただろう。しかし、九ちゃんは最後まで「恥」を解消しきろうとはしない。

これらの九＝Qちゃんが示す曖昧な身ぶりや立場性こそ、セジウィックが「クィア・パフォーマティヴィティ」を理論化した際に想定した、マジョリティの社会規範から促される自らの「恥」を解消するのではなく、保持しつづける姿勢の一例になるのではないだろうか。それに注目することによって一見すると既存の英雄譚を定石どおりに踏襲したかにみえる紙芝居『モクモク村』は、クィアなリーディングを可能にするテクストへと変容することになるのである。

5 「クィア・パフォーマティヴィティ」と「フェロックス」の実践

最後に、セジウィックの「クィア・パフォーマティヴィティ」で「恥」の情動がもたらす変革的な作用と、ハルバースタムの「フェロックス」の相関性について、いま一度議論しておきたい。繰り返しになるが、「恥」の感覚はそれを促される社会規範などの対象に何らかの親近感や興味がないと発生しない。[26]したがって「恥」による「クィア・パフォーマティヴィティ」のあとに（あるいは同時に）期待されるのは、規範との絶縁ではなく、むしろそれを何とか変容させ「恥」さえも容認するような言説空間を創造することなのである。エルスペス・プロビンもまた、「恥」の情動は自己の否定や無化しか導かないわけではなく、逆に周縁に位置する自己と社会空間との新しい関係性の構築の糧になると説く。[27]セジウィックによって理論化されプロビンがさらに応用したこの「恥」の議論は、ハルバースタムが提唱する野性的な「フェロックス」というあり方や空間が、人間社会のそれに比べて力関係の不均衡が存在しないユートピア的なものなどでは決してないということにも、通じるだろう。[28]

そして何よりも重要なのは、「フェロックス」や「野性」という概念が規律化された人間社会と対峙し、結果として、二項軸の再生産へとつながってはならないということである。

九＝Ｑちゃんによる「恥」を伴う「クィア・パフォーマティヴィティ」の遂行は、微妙な距離を置きながらも人間の規律社会を象徴するけんちゃんと関わりを保つという状況を可能にした。しかし、モクモク村へ帰っていくけんちゃんを見送るシーンで九＝Ｑちゃんは、これまでにないほど人間社会に接近する。「うーん、何となく、さびしくて悲しい気持ちになっちゃうなあ(29)」とけんちゃんに告白するのである。群れをなさず「浮いた」存在でいつづけた九＝Ｑちゃんが初めて帰属願望をあらわにするシーンなのだ。しかも、紙芝居のなかで彼はもっぱらほかの人物の発言を翻訳してきたが、これは自己の感情の表明であり、一種のカミングアウトの瞬間である。彼が抱えてきた「恥」を解消し人間社会に同化することができるぎりぎりの局面とも理解できるだろう。しかし、別れを惜しみながらも九＝Ｑちゃんは魔法の国にとどまる。魔法の国に帰属するのではなく「フェロックス」でいつづけることを選ぶのである。

本章で応用してきたセジウィックの理論は「クィア・パフォーマティヴィティ」の遂行がどのように既存権力や規範を変容させうるかについての希望が込められたものと筆者は理解している。それはまたジェンダーやセクシュアリティだけでなく多様な自己形成（あるいは解体）論や、人間社会と自然界とのつながりの議論にも応用可能であるはずだ。その意味で『モクモク村』という紙芝居は私たちに何を示唆してくれるのだろうか。前述したとおり、けんちゃんは物語の大半でモクモク村の規範を「劇場的パフォーマティヴィティ」を通して体現しながら再強化するような存在だった。しかし九＝Ｑちゃんという「クィア・パフォーマティヴィティ」を遂行する「フェロックス」的なパートナーとの冒険を経たことで、けんちゃんのなかにもまた変化が起こりつつあることが物語の最後でうかがえるのだ。

紙芝居の最後に、モクモク村の住民はそれまでの慣行を改め、環境を汚さないことを誓ったというナレーションが入る。しかも、今後また「魔王になるひとが出て来ないように[30]」という理由で、環境改善を村民に諭したのは、九＝Qちゃんとの冒険を終えたけんちゃんだったのだ。このけんちゃんの台詞は注目に値する。なぜなら前述したとおり、けんちゃんは他者や少数派の意見に耳を貸さずに自らの正義を信じて貫くキャラクターだったからである。しかしこの台詞には、社会から排除された者の意見を無視したせいで問題が生まれたことへの反省の念が込められている。そして何よりも、モクモク村の社会規範自体を変えていこうという姿勢が見受けられるのだ。しかもこの台詞は、目的を達成したけんちゃんの功績をたたえ、村人からの感謝と報酬は潤沢にけんちゃんに与えるべきだと提案するモクモク村のおじいさんをただして発せられている。村人からのさらなる称賛よりも、村の規範を変えることを優先したいとけんちゃんは言うのだ。この時点でけんちゃんはすでに「劇場的パフォーマティヴィティ」の多数派の聴衆だけから支持を得ようとしていた過去の状態にはないことが見て取れる。むしろ、多様な声（＝恥の声）が共存する社会空間を創造しようとする意志がうかがえるのである。それは、「恥」から発せられる不協和音のようなノイズ、すなわち「フェロックス」の声に耳を傾けることができる社会空間である。

けんちゃんが自らを人間社会の中心に据えた「劇場的パフォーマティヴィティ」を機能させようとするテクスト空間のなかで、九＝Qちゃんはけんちゃんに最も近い場所から「クィア・パフォーマティヴィティ」を遂行することによって、けんちゃんの予定調和を掻き乱しつづけていたといえるだろう。けんちゃんは魔王によるノイズは抹殺したが、「フェロックス」としての九＝Qちゃんには「君がいなかったら、ぼくはここまで来られたかどうか[31]」と述べているように、誰よりも頼りにしていたことに最後になって気づくのである。九＝Qちゃんが遂行しつづけた「フェロックス」としての「クィア・パフォーマティヴィティ」は、結果として人間社会にも影響を及ぼすことになったのである。

おわりに

本章での議論は以下のようにまとめることができるだろう。『モクモク村』のけんちゃんという主人公が少年や男性にまつわる既存の社会規範をなぞるキャラクターとしておおむね機能していたとすれば、九ちゃんをクィア・リーディングすることで私たちは、前者が体現する男性性の解体や変容の契機を見いだすことができるのである。『モクモク村』は登場するほぼすべてのキャラクターが男性であり、女性はその男性たちが所有するあるいは性の対象にする客体としてしか機能していないという、男性性の覇権を「ホモソーシャル(32)」な空間で再強化するテクストのテンプレートであるかのように一見捉えられるかもしれない。しかしながら、同紙芝居は混在する複数の男性性を人間社会と「wild」かつ「フェロックス」な空間を行き来する文脈に流し込むことで、自明とされている男性性の定義や人間社会の覇権の恣意性をあらわにし、そうした既存権力の脱構築を模索する契機を提供してくれる稀有なテクストでもあるのだ。そしてその「wild」かつ「フェロックス」のあり方を読み解くうえで大いに有用なのが、セジウィックによる「クィア・パフォーマティヴィティ」という理論なのである。

注

(1) Dana Luciano & Mel Y. Chen, "Has the Queer Ever Been Human?," *GLQ: A Journal of Lesbian and Gay Studies*, 21 (2-3), 2015, p. 186.

(2) Jack Halberstam, *Wild Things: The Disorder of Desire*, Duke University Press, 2020.

（3）この議論に直接関連する先行研究の例として以下を参照。Golan Y. Moskowitz, *Wild Visionary: Maurice Sendak in Queer Jewish Context*, Stanford University Press, 2020.

（4）Halberstam, *op.cit.*, p. 32.

（5）*Ibid.*, pp. 108-109.

（6）*Ibid.*, chapter 3.

（7）Eve Kosofsky Sedgwick, *Epistemology of the Closet*, University of California Press, 1990.

（8）志田哲之「クローゼットの認識論――セクシュアリティの20世紀」「家族社会学研究」第十三巻第一号、日本家族社会学会、二〇〇一年、一〇五ページ

（9）Sharalyn Orbaugh, "Kamishibai and the Art of the Interval," *Mechamedia*, 7, 2012, pp. 87-88.

（10）Judith Butler, *Gender Trouble: Feminism and the Subversion of Identity*, Routledge, 1990.

（11）Eve Kosofsky Sedgwick, *Touching Feeling: Affect, Pedagogy, Performativity*, Duke University Press, 2003, p. 5.

（12）*Ibid.*, p. 7.

（13）*Ibid.*, p. 36.

（14）戸梶民夫「クィア・パフォーマティヴィティと身体変形実践――トランスジェンダーの性別移行に見る移行目標の実定化と恥の解決」、ソシオロジ編集委員会編「ソシオロジ」第五十四巻第一号、社会学研究会、二〇〇九年、七六ページ

（15）岩田和男「クィア理論 セジウィックとバトラーのクィア――文学研究活動における社会政策を考える」、藤森かよこ編『クィア批評』所収、世織書房、二〇〇四年、三六ページ

（16）Sedgwick, *op.cit.*, 2003, pp. 116-117.

（17）ロバート・ホワイティング／ドワイス・スペンサー作、若林一郎脚本『モクモク村のけんちゃん』日本ブリタニカ、一九七一年（引用は第五版第八刷〔一九八三年〕から）、六十二枚目

（18）同紙芝居六十四枚目

(19) 榎本浩司「グリム童話の女性たち——魔法や超人的な力を行使する女性たちの役割と位置づけ」、関西外国語大学／関西外国語大学短期大学部編「研究論集」第九十七号、関西外国語大学・関西外国語大学短期大学部、二〇一三年、二一四ページ

(20) 前掲『モクモク村のけんちゃん』七枚目

(21) 同紙芝居八十三枚目。傍点は引用者による。

(22) Halberstam, *op.cit.*, p. 78.

(23) Butler, *op.cit.*

(24) セクシュアリティとオリエンテーションという概念との密接な関係性については、以下の研究を参照。Sara Ahmed, *Queer Phenomenology: Orientations, Objects, Others*, Duke University Press, 2006.

(25) 前掲「グリム童話の女性たち」二一四ページ

(26) Sedgwick, *op.cit.*, 2003, p. 116.

(27) Elspeth Probyn, *Blush: Faces of Shame*, University of New South Wales Press, 2005.

(28) Halberstam, *op.cit.*, p. 134.

(29) 前掲『モクモク村のけんちゃん』八十一枚目

(30) 同紙芝居八十二枚目

(31) 同紙芝居八十枚目

(32) 「ホモソーシャル」な言説空間における男性性の優位についての議論は以下を参照。Eve Kosofsky Sedgwick, *Between Men: English Literature and Male Homosocial Desire*, Columbia University Press, 1985.

第8章　ワクチンとしての物語

——章夢奇のドキュメンタリー作品における女性の語りを手がかりに

秋山珠子

はじめに

二〇二〇年三月、約二カ月間続いた、中国で最初期のロックダウンが解除されると、ドキュメンタリー監督章夢奇《ジャン・モンチー》(1)は、春節で帰省したまま足止めを余儀なくされていた湖北《フーベイ》省の実家から懐かしい「47KM村」に一目散に駆けつけカメラを回した。

「ウイルスはね、ドアを開けられないから、家には入ってこないよ」
「ウイルスはね、形はなくて、まるで風みたいだよ」
「ウイルスはね、雪の結晶みたいなんだよ(2)」

彼女が昔からよく知る三歳から十六歳までの子どもたちが、薄靄《うすもや》がかかる「青い家」の前庭の椅子に腰かけ、めいめいが考える新型コロナウイルスについて天衣無縫にイメージを紡ぐ。世界がパンデミックに直面し、ワクチンもないまま未知のウイルスへの対峙を迫られていた時期に撮影されたその驚くべき映像は、のちに章のドキュメンタリー『自画像：47KM 2020』（二〇二三年。以下、『自画像2020』）冒頭に配されることになる。

湖北省隋州《シュイジョウ》市釣魚台《ディアオユィタイ》村。村から最も近い幹線道路と行政区の中心である隋州までの距離を示す「47KM」[3]と書いてある標識だけが唯一の目印であるような父の故郷の村を章は作品のなかで「47KM村」と呼ぶ。車でならば、省都である武漢《ウーハン》までは三時間ほど、隋州までは一時間半ほど、いちばん近い町である殷店《インディエン》鎮までは二十分ほどの距離だ（図1）。

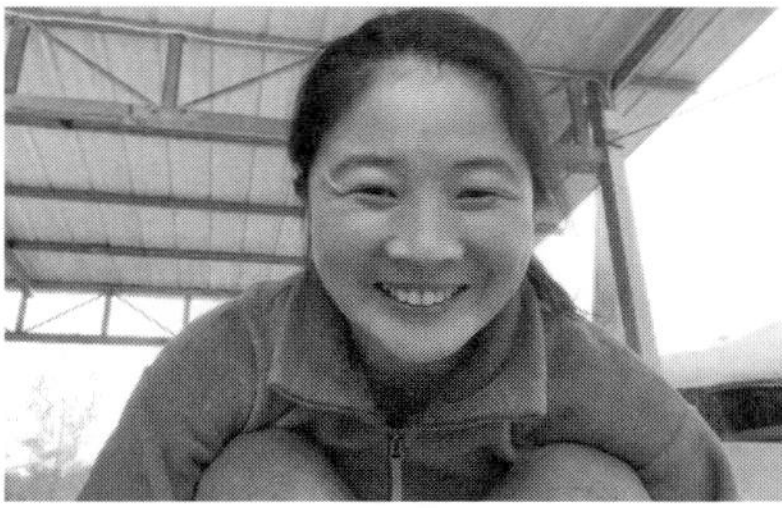

写真1　47KM村でオンラインインタビューに答える章夢奇（筆者撮影、2023年10月）

「47KM村」という無機質な名前は、そこが中国で「農村」と呼ばれる、「県城の周辺に広がっている広大な農地や山林、河川、湖沼、荒れ地、その所々に点在する集落を含む地域」[4]の一つにすぎず、公的な語りからはこぼれ落ちた村であることを示唆している。

映像作家であり舞踊振付家である章は、北京に拠点を置きながら、二〇一〇年以来冬ごとにこの村に帰り、土地の人々の記憶と暮らしをつづるドキュメンタリー「自画像：47KM」シリーズ（以下、「自画像」シリーズ）をほぼ年に一本ずつ制作し、その作品群は日本を含む国外の映画祭や芸術祭で高く評価されてきた。[5]最新作である『自画像2020』は、コロナ禍を機に初めて四季を通じて村で暮らすことになった章が、パンデミック下の47KM村の一年を描いたものであり、「困難な時代にある生命への賛歌」[6]と評され、二〇二三年の山形国際ドキュメンタリー映画祭で優秀賞を受賞した。以来、村で過ごす時間のほうが長くなった章は、二四年には北京の拠点を引き払い、完全に47KM村に移住する計画だという（写真1）。

冒頭で紹介した子どもたちの背景に登場する「青い家」は、章が国際映画祭で得た賞金を基金として二〇一九年に完成させた広さ約百平方メートルほどの二階建ての建物だ[7]。周囲の貧しい村々同様、若者の多くが出稼ぎにいき、子どもと老人の姿ばかりが目立つようになっていた47KM村で、村の誰もが自由に過ごせるスペースを作れないかと章は長年考えてきた。完成して間もない「青い家」は、いまやコロナ禍で学校が休校になった子どもたちのにぎやかなたまり場になっていた。

ツユクサのように青い壁をもつ四角い建物の室内で遊ぶ子どもたちの楽しげな声が、枯れ草に覆われた庭にもれ出している。村の子どもたちを幼いころから撮り続けてきた章は、彼らを一人ずつ庭に招いてカメラの前の腰かけに座らせ、画面中央に配すと、ユーモアを含んだ親密な口調で、しかしおそらくそれまで彼らが問われたことがなかったであろう質問を、まっすぐに投げかける。

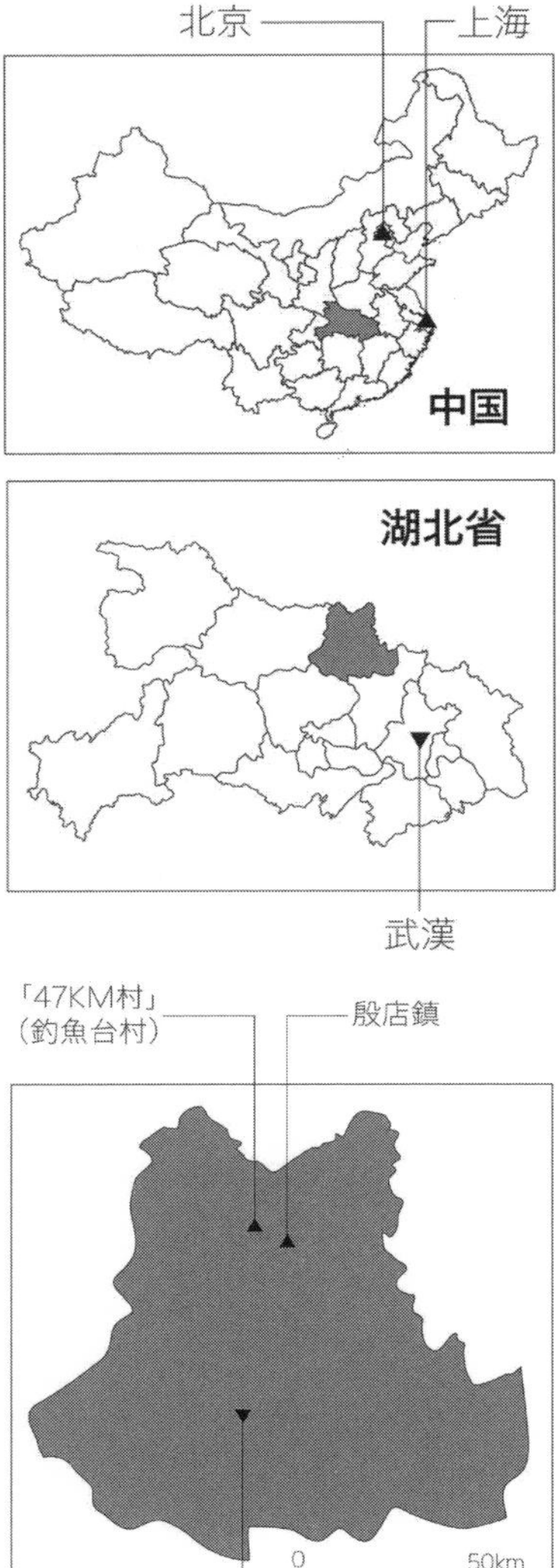

図1　「47KM村（釣魚台村）」の位置（筆者作成）

「ウイルスをどうやって知ったの？」
「ウイルスってどんなもの？」
「ウイルスは怖い？」

まるで聞かれることを待っていたかのように、子どもたちは、ときにとうとうと、ときにささやくように、彼らが知っていること、知らないこと、またそれらが入り交じった物語を口々に語りだす。

本章は、章のドキュメンタリー作品『自画像2020』に登場する異なる世代の村人――特に女性――たちが、未知のウイルスの出現を含む様々な危機に対してどのような知恵や物語をどのように紡ぎ出していたのかを、映画のなかの動植物の描写を手がかりに、章へのインタビュー(8)を交えながら読み解こうとする試みである。分析にあたっては、厳密な発達段階論の区分ではなく、登場人物の撮影時のおおよその年齢に即し、小学校低学年以下の「幼女たち」、思春期に属する「少女たち」、彼らの祖父母世代である「老女たち」の各節に分けて論じていく。

パンデミックのさなか、世界の注目が集まる武漢からそう遠くない、しかしほとんど誰にも目を留められることがなかったこの小さな村で、彼女たちはいったい何を思い、何を語っていたのだろうか。

1　幼女たち

ウイルス／コロナ禍

『自画像2020』は、その直前まで隋州で五十三日間の隔離生活を送り、「毎日がとても怖くて、死が目前に迫っているように感じられた(9)」という章が、「青い家」に集う子どもたち一人ひとりにウイルスについて尋ねる前述の場面から始まる。

「ウイルスをどうやって知ったの？」という一見単純な章の質問に、小学生以下の子どもたちは、「うーん」と考え込んでなかなか答えられない。章は違う聞き方をする。「なぜ、まだ幼稚園は始まってないの？」。五歳の幼児は少し考えてから答える。「だってお空にウイルスがあるから」。少し年上の幼児は自信ありげに言う。「どの国にも感染があって、ウイルスが人の体に入ってくると、人類は病院にいかなくちゃいけないから」。彼らの答えの多くは、ウイルスについていつどのような情報を得たかではなく、ウイルスがそこにあるという事実を彼らなりに解釈しようとしたものである。

ツインテールのある幼女は「これは秘密なんだけどね」と前置きして、章のそばまで歩み寄り、耳元でこうささやく。

幼女「ウイルスはね、本当は中国……じゃなかった、武漢と十堰《シーイェン》から始まったの」
章夢奇「誰が言ったの？」
幼女「あたしが自分で。でもこれは秘密なの。だってすごく大変なことだから。もし人に言ったら、きっとみんな、死ぬほど驚くでしょ。そして武漢からきた人たちは絶対嫌われちゃうでしょ」

その不安そうな声とは裏腹に、「とにかくあたし、ウイルスなんて怖くないから」と自らに言い聞かせるように語る幼女は、彼女のファンタジーのなかで、情報をせき止めることによって多くの中国の人々、とりわけ武漢出身者を守る、戦うヒロインのようだ。

おそらく幼女は、メディアからとめどなく流れるコロナ関連の様々な情報を耳にしていたことだろう。しかもこの時期には「当時、武漢のことを話題にしてはならないという雰囲気」(10)もあったという。彼女の叔母の一人は武漢で暮らしていた[11]。メディアや噂話のなかに武漢を差別する響きを敏感に聞き取った彼女は、因果を逆転させ、自分こそが情報の源であると考えることによって、自身の沈黙が世界が直面する危機を救うというファンタジーを作り出す。章はこの時期の彼女自身を振り返って言う。

私は子どもたちの言葉を借りて、ウイルスの本質に立ち返って考えてみたいと思ったのです。おそらく、私たちにトラウマを植え付けたのはコロナ禍というものであり、あらゆる管理やさまざまな政策や生活のなかの突発的事態や制御不能な事柄だったのではないかと思うのです。でも実はこれらのことは、ウイルスそのものとは違うものなのです[12]。（傍点は引用者）

幼女のファンタジーは、ウイルスそのものではなく、コロナ禍が生み出す恐怖と混乱から人を守ろうとするものにほかならない。コロナ禍がもたらす制御不能な事態が、幼女自身だけではなく彼女の身近な人をも傷つけうることを敏感に察知したその語りは、章に、隔離生活のなかで自分にトラウマを植え付けたものが、ウイルスというよりコロナ禍がもたらすもろもろの事態ではなかったかと振り返る契機を与えた。

ウイルスそのものに着目する子どもたちと、コロナ禍に影響される大人たち――。『自画像2020』のなかで両者の姿は、後述する農繁期の到来まで、対比的に描かれていくことになる。

擬人化・自然物・野生生物

章が尋ねる二つ目の質問「ウイルスってどんなもの？」に対する子どもたちの答えは、一人ひとり驚くほど違っている。彼らは自分の身の回りの事物や既存の物語構造などの資源を活用してそれぞれのファンタジーを紡ぐ。先ほどのツインテールの幼女は言う。「ウイルスには何本も足があってね、手には「ウイルスが全世界を征服する」と書いた旗を持ってるの」。小学校低学年の幼児は、言葉を区切るたびに唇をきっと結びながら言う。「最初はウイルスなんかやっつけてやる、と思ったんだ。……でもウイルスのほうが強いんだ」

擬人化されたウイルスと人が闘う物語はユーモラスであるとともに、そこには強力な敵に立ち向かうことへの彼らの不安がにじむ。

一方、さらに小さな子どもたちは、身近な自然物を用いて、よりか弱くはかなげなイメージをウイルスに当てはめる。「ウイルスはね、雪の結晶みたいなんだよ」と笑う幼児。「ウイルスはね、踊ったり、透明になったりするんだよ。それで太陽に焼かれると消えちゃうんだよ」と、両手を上げて「ふー、ふー、ふー」と歌いながら体を左右に揺らす幼児。彼らはコロナウイルスの形状を雪の結晶や雪そのものに見立て、さらにそれが熱で容易に解けてしまうことを想像して恐怖を和らげているようだ。

幼女たちはより饒舌に物語を語る。ある幼女は野生生物が登場する長い夢の話をする。「自画像」シリーズにたびたび登場する八歳の活発な女の子・婷婷《ティンティン》は、ウイルスはマスクをすれば怖くないし、家にマスクはいっぱいあるんだ、と言ったあと、昨日見たという不思議な夢の物語を章に語って聞かせる（写真2）。


あたしは毎日夢を見るんだけどね、昨日見た夢ではね、おばあちゃんがムカデを捕まえたの。それからマムシも捕まえて、それからヘビも捕まえたの。それから大蛇も捕まえて、それから……なんだっけ、タウナギも捕まえたの。それから、それから……鷹も捕まえたんだよ！

生物の名前を挙げるたびに、婷婷の声は大きくなり、表情は得意げになる。章の解釈によれば、非常に邪悪で強力な生き物をおばあちゃんは捕まえることができる、だからウイルスよりもおばあちゃんのほうが強い、というロジックだ。(13)

写真2 「青い家」の前で夢の話をする婷婷
（出典：『自画像：47KM 2020』© Zhang Mengqi）

未知のウイルスについての想像をめぐらせる婷婷は、野生生物がもつ人知を超えた力を手繰り寄せる。これら地面や水底をはう細長い生き物たちのイメージは、中国の民間伝承で邪悪な存在として描かれてきた毒虫[14]のそれに連なるだけではない。山間の集落である47ＫＭ村には、実際に様々な種類のヘビが生息しているという。[15]『自画像2020』には、婷婷の祖母をはじめとする村人たちが、初夏の夜、山にムカデを捕りにいく様子が描かれている。ムカデは漢方薬の材料として一匹三、四元で売れ、人によっては一日で数百元も稼ぐほどの大きな収入源になるという。[16]こうして婷婷は彼女の身の回りにあるものを総動員し、ウイルスに対抗するためのファンタジーを作り出す。

「留守児童」と想像

婷婷のファンタジーのなかで邪悪な野生生物をねじ伏せる英雄がほかの大人ではなく祖母なのは、彼女が「留守児童」であることと関係がある。留守児童とは、親が出稼ぎにいって農村に残される子どもたちを指す中国語だ。留守児童の多くが祖父母をはじめとする親族のケアを受け、なかには子どもたちだけで暮らすケースもあるなど、不十分なケアが子どもにもたらす深刻な影響が少なからず懸念されている。[17] 中国インディペンデント映画も、王兵《ワン・ビン》監督『三姉妹――雲南の子』（二〇一二年）や黄驥《ホアン・ジー》監督『卵と石』（二〇一二年）など、彼らの過酷で孤独な生活をしばしば描いてきた。

しかし、章夢奇作品に登場する47ＫＭ村の留守児童たちは、そうした過酷さや孤独とはかけ離れた存在にみえる。それは章が、留守児童たち自身が紡ぐファンタジーに注目し、それを描いてきたことと無縁ではない。章の前作『自画像：47ＫＭのおとぎ話』（二〇二一年。以下、『おとぎ話』）で婷婷は、冬枯れの草原で、ほかの少女たちや曾祖母とともに、自分の背丈の倍以上の長さの竹をゆっさゆっさと振りながらダンスをする（写真3）。編集によって婷婷の姿は竹を振ると消え、振るとまた現れる。そこで「ママは？」と尋ねられた婷婷はエヘッと笑って、「出稼ぎにいったよ。パパも広州にいるよ」と答える。その屈託のない笑顔は、あたかも竹をひと振りすれば、瞬く間にママのところにいける魔法が使えると信じているかのようにみえる。

章自身、ある意味で自分も留守児童だったと述懐する。[18] 四歳のときに両親が離婚した章は、一家を養うために母が経済特区の海南島に教員として単身赴任したため、隋州の祖父母の家に預けられた。両親がいないなか、通学路を歩きながら遠くの山を眺めては、あの向こうに何があるのだろうと夢想するのが幼い章の日課になったという。ほどなくして章は、芸術に関心を寄せる母に勧められて舞踊と楽器を習うことになる。「不思議なことに、私が小さいころから大人になるまで学んできたのは、芸術という、実利とは無縁のものでした。私は小さいころは舞踊を習い、長じてからは大学の舞踏科に進みました[19]」。山の彼方に思いを馳せたり、踊りを踊ったり、音楽を奏でたりといった、実利とは無縁な営みが、親から離れて暮らした子どものころにどれほどの意味をもったかを知る彼女は続ける。「私は直感的に、村の子どもたちに必要なのは、実利的ではない経験や知識なのではないかと思ったのです[20]」

章が、47ＫＭ村にダンスや絵画や映像制作をおこなうための「青い家」を建てたり、ドキュメンタリー作品の

写真３　竹のダンスを踊る婷婷と曾祖母
（出典：『自画像：47KM のおとぎ話』© Zhang Mengqi）

なかで子どもたちとともにファンタジーを生み出したりすることは、章の留守児童としての経験に根ざした行為のように思われる。

伴侶種と子どもたち

47ＫＭ村の子どもたちは、章の作品のなかで伴侶種と並列して描かれることが多い。

例えば『おとぎ話』では、子どもたちが現実の、あるいは空想の伴侶種を彼らの仲間のように遇する姿が描かれる。章の姪《めい》であり、撮影当時、小学校高学年だった丁琪軒《ディン・チーシュアン》は寒い部屋で鼻をすすりながら、白い子犬と弟を同じ兄弟のように抱きかかえながら「ラクダをお供に旅をしよう」と歌う。五歳だった婷婷は、「青い家」の建設予定地の真ん中でリズムをとって手をたたき、円を描くように行進しながら、無事の落成を寿ぐかのように歌う。「ディダダ　ディダダ　ラッパを吹こう　子犬も子猫も一緒に吹こう　みんなおんなじ背の高さ　子どもも一緒にディダダ……」。伴侶種は彼女たちの夢の行程の随伴者なのだ。

それだけではなく、「自画像」シリーズでの子どもと伴侶種には、より本質的な結び付きがある。

47ＫＭ村の伴侶種たちは基本的に放し飼いだ。「自画像」シリーズには、労働にいそしむ大人たちのかたわら、我関せずとばかりに悠然とたたずみ、あるいはただ通り過ぎていくだけの犬や猫たちがたびたび登場する。労働や生産活動に一切責を負わないのは子どもたちもまた同じである。「自画像」シリーズに描かれる子どもたちはほとんど、農務を手伝うこともなければ、それを期待されることもない。村のあちこちを自由に動き回る犬や猫たちと同様、この村の子どもたちは、大人たちからケアを受けるだけで、経済共同体である家の労働や生産を担うオイコスの責任から原則として免れている。[21]それは、例えば前述の『三姉妹』の十歳の長女が働かなければ食べていけない世界に生き、家で宿題をしているそばから「勉強なんか無駄なことをして、羊の世話をしろ」[22]と祖父にとがめられるのとは明らかな対照をなしている。

七月末、降り続いた雨のために冠水した畑で、なぎ倒されたトウモロコシの根を抜きながら、「せっかく実り始めたところだったのにねえ」とため息をつく祖母のかたわらで婷婷は池と化してしまった畑で水に手を突っ込みながらうれしそうにはしゃぐ。「魚はいるかな？　捕まえるところを撮ってね！」

「ウイルスそのもの」だけではなく、「コロナ禍」が招く不安と恐怖、出稼ぎによる親との分離、容赦なく村を襲う自然災害……。これら危機のたびに、子どもたちは身近なありあわせの資源を用いてファンタジーを作り出す。ファンタジーはワクチンのように危機から子どもを守り、大人は子どもがファンタジーを紡ぐための特権的な時間を守る。それが、章が映画で描いた47ＫＭ村であり、「青い家」で守ろうとした時間でもあった。

2　少女たち

懐疑と受容

『自画像2020』には小学校高学年から高校一年生までの思春期前後の少女たちもわずかに登場するが、彼女たちのウイルスについての語りは、子どもたちとは大きく様相を異にする。彼女たちがファンタジーを語ることはほとんどない。

「ウイルスをどうやって知ったの？」という章の問いかけに対して、少女たちは具体的な情報の入手経路を挙げる。「携帯のトレンドで」「一月二十何日かにインターネットで」「携帯で情報検索していたら、急にニュースが表示されて」。しかし、続く「ウイルスってどんなもの？」「ウイルスは怖い？」という質問に対する少女たちの答えは複雑な陰影を含んでいる。

「怖くないよ。だって、たぶんフェイクだもん」。小学六年生の女の子はそう答えて豪快に笑ったあと、こう付け加える。「でもおかげで学校が遅く始まることには感謝してるけどね」。眼鏡をかけた思慮深そうな少女は言葉を探しながら言う。「親が言ってたけどね、えーと、ウイルスはアメリ……、違った、武漢から発生したんだけど、最初はそれを隠していたんだって。そうじゃなければ、もっと早くロックダウンをして、こんな大変なことにはならなかったはずだって」

　少女たちは、氾濫する情報をうのみにすることなく、それをときに懐疑し、ときに一笑に付す。しかし、彼女たちの言葉を特徴づけるのは懐疑とシニシズムだけではない。

　別の少女は頬杖をつきながら淡々と答える。インターネットで初めてウイルスについての情報を目にしたときは「本当なのかな、と思って全然気にしなかったんだ」。だが直後にこう続ける。「いまでもそんなに怖くないよ。だってこの地域は厳しく管理されていて、感染者は出ないと思うから」。彼女は情報に懐疑を示しながら、感染対策は所与のものとして受け入れる。婷婷の年若い叔母であり、少女たちのなかで最年長の一人である十六歳の方紅《ファン・ホン》は、言葉を区切りながら、優等生らしく、ウイルスについての見解を列挙する。いわく、中国の科学技術は非常に発達していること、でも感染拡大を抑えるためには科学に頼るだけでは十分ではないこと、そこでは社会全体の行動変容が求められること、そのためには党の指導が欠かせないこと。そこまで一気に言ったあと、彼女は慎重な面持ちで続ける。「こういう突発的な事態に際し、党の指導がなければきっとダメだと思うの……。それから……。ちょっと考えさせて」。そう言うと彼女はそのまま押し黙る。

『自画像2020』は、思春期の少女たちが、現実社会との距離を感じながら、それを受容しなくてはならないことに戸惑い葛藤する姿を捉える。その葛藤は、47KM村の少女たちが直面している差し迫った現実の反映でもある。

47KM村には学校がない。村の多くの子どもたちは、中学までは殷店鎮の学校に通い、卒業後は出稼ぎにいくか、隋州にある高校で寄宿生活を送るかの選択を迫られる[23]。さらに農村では都市部以上に女性に対して結婚や出産への強い期待が加わることが珍しくない[24]。高校生の方紅は、隋州の寄宿舎がある高校に通っている。方紅の九歳年上の姉は、十五歳で江蘇省にある電子部品工場に出稼ぎにいき、その後結婚して十八歳で娘の婷婷を出産している[25]。

47KM村の少女たちは、それまで享受した子どもとしての特権的な時間が十五歳までの時限付きであり、その後は村から出て現実社会と直接向き合わなければならないことを知っている。ロックダウンとオンライン授業の期間、思いがけず村での時間がしばし延長された彼女たちにとって、ウイルス以上に気がかりなのは、早晩たった一人で向き合うことになる現実社会との関係だったのではないだろうか。彼女たちの両義的な答えや、言いよどみや沈黙のなかには、環境の急変を目前にした、あるいは環境の急変のただなかに置かれた彼女たちの、世界への懐疑と受容との間で揺れる切実な心情が見え隠れする。それが、47KM村に生まれた子どもたちにとって思春期の常態なのである。

ニワトリの野生

写真4　木に登るニワトリを見つめる方紅と丁琪軒
（出典：『自画像：47KM のおとぎ話』Ⓒ Zhang Mengqi）

47ＫＭ村には多くの野鳥が飛来する。『おとぎ話』では小さな子どもたちが章に、これから建てる「青い家」のために理想の家の絵を描いてみてと促されて思い思いの家の絵を描くが、その空にはしばしば渡り鳥の群れが飛んでいる。村の外の世界へ軽やかに飛び立つ野鳥の姿は、子どもたちの憧れを体現しているようにみえる。

一方、思春期の少女たちはぎこちなく羽ばたくニワトリに格別の関心を寄せる。47ＫＭ村では、前述のような伴侶種だけではなく、ニワトリ、アヒル、ガチョウなどの家禽もまた放し飼いだ。村の家禽たちはしばしば突如画面に映り込み、リズムも音程もバラバラな合奏のような鳴き声を聞かせる。ユーモラスでにぎやかなこうした描写とは対照的に、「自画像」シリーズにはときおり、木に登るニワトリをただじっと凝視する、数分間にわたる謎めいたロングテイクが挿入される。

羽をばたつかせ、飼われている家の塀からその隣に生える高い木に跳び移ろうとするニワトリたち。その羽ばたきは軽やかさとはほど遠く、ひどくぎこちないものだが、『おとぎ話』のなかの中学生の方紅と小学六年生の丁琪軒はその様子を息を詰めてじっと見つめ、ビデオカメラで撮影する。高さ三メートルほどありそうな、葉が落ちた木の枝に、ニワトリは一羽一羽、覚悟を決めたように羽をばたつかせて跳び移る。十羽あまりのニワトリの最後の一羽が登りおおせるまでの長い時間、二人の少女は黙ってそのおぼつかない飛翔を見つめる（写真4）。

ハンナ・アーレントは、作家イサク・ディネセン[26]の「物語」と「人生」の関係を考察したテキストのなかで、ディネセンが「家畜を尊敬すべきもの」「野生の動物を品位あるもの」と見なし、自身を野生動物の側に属するものと考えていたことに注目する。ディネセンにとって野生動物は「神と直接に接している」のに対し、「豚やにわとりが尊敬に値するのは、それらが自分たちに投資されたものを忠実に返却し、（略）期待されている通りに行動するからである[27]」。

しかし47KM村の少女たちにとって、家畜と野生動物は明別しがたいものである。確かにニワトリたちは、飼い主からのケアと引き換えに卵や肉を差し出し、「投資されたものを忠実に返却」することを求められる存在であり、古代中国では生殖崇拝の対象でもある[28]。しかし、家禽として「改良」を繰り返され、飛べなくなったはずの47KM村のニワトリたちは、毎夕おぼつかなくも飛翔し、少女たちはニワトリのなかに潜む野生に思いを馳せる。

飛ぶニワトリを捉えるロングテイクは、思春期の少女たちの、あるいはかつて少女だった章自身の主観ショットとして理解することがふさわしいのではないだろうか。方紅たちが食い入るように見つめる、ニワトリたちが木に登る長い時間には、現実社会への懐疑と恐れを抱きながらも、それに適応せざるをえないことを知る彼女たちの屈託と、それでもなお飛翔することへの強い憧れが投影されているようにみえる。

二〇二三年、高校を卒業した方紅は省外の大学に進学したという。「彼女は一家で初めての大学生になったんです[29]」と章はうれしそうに笑う。「自画像」シリーズのなかで、物語と人生は分かちがたく結ばれる。方紅の飛翔はもはや単なる憧れにとどまってはいない。

少女のなかの幼女

『おとぎ話』で章は、47KM村で子どもとしての最後の時間を過ごす方紅が紡ぐ物語に耳をそばだてる。けらけらと笑いながら川べりで水切りをして遊ぶ年下の少女たちのかたわら、方紅は問題集を手にしゃがみこみ、章のカメラに向かって、どこか言い訳をするようにつぶやく。「午前中集中して、宿題の問題集一冊を片付けてしまったの。……だって、……だって簡単だったし、量も少なかったから。……でも本当は、そんなに急いでやる必要は全然なかったのに。まだ期日まで十二日もあるのに」。社会の期待に過剰に適応してしまう自分にどこか戸惑っているかのような方紅の複雑な表情を捉えたあと、画面は彼女の家の光が射さない居間に移る。熱心に絵を描く丁琪軒の向かいに座った方紅は、鉛筆を揺らしながら物思いにふけっている。すると急に、方紅は章のカメラを射るように見つめ、堰を切ったように語りだす。

ある人を小さなころから年をとるまで撮ることについて考えていたの。そしたら急に、前に紹介してくれた『サピエンス全史』を思い出したの。きっと誰もが日々迷いながら生きている。みんなわからないの。毎日、自分がいったい何をしているのか、どうやって生きているのか、どう変化しているのか。(略)だから撮るなら、その人がそれぞれの年齢ごとに、何をして、どういう変化を遂げているのかを撮るべきだと思うの。

表面的には社会の要請に順応し、「期待されている通りに行動」しているようにみえる方紅が、そのこと自体に言いようのない違和感を感じるのは、自分のなかにかつて実利とは無縁の世界に生きていた幼女の自分、あるいは野生がいまも潜んでいるからである。

自分のなかに他者があり、他者のなかに自分がいる。章のドキュメンタリー作品は、その主題をダンスやパフォーマンスを用いて繰り返し描いてきた。デビュー作『三人の女性の自画像』（二〇一〇年）では、母親の期待に応えようともがく章の身体をスクリーンにとうとうと説教を続ける母親の顔のアップを映し出し、『自画像：47KMに生まれて』（二〇一六年）では、癒えない過去の傷に苦しむ老女の手とそれを包み込む章の手がともに円舞を繰り広げ、『自画像：47KMの窓』（二〇一九年）では、互いの空想を融合させながら踊る章とも方紅ともつかないダンスがただシルエットだけで描き出された。

彼女がそれぞれの作品のなかで繰り返し描写したその主題は、『おとぎ話』のなかで融合し、一つに束ねられていく。まだ完成していない「青い家」の基礎工事現場の暗がりに、これまでの「自画像」シリーズで用いられた過去の映像が次々と浮かび上がる。かつて少女だった三人の老女たちの身体には、コッコという鳴き声とともに木に登るニワトリの映像が投影され、章の顔には、彼女と老女の重なり合いながら舞う四本の手が映し出される。十六歳の方紅の身体には、六歳だった彼女自身の映像が映り、そこに章のモノローグである「彼女は方紅。二〇一一年の冬に初めて会った。六歳だった」という字幕が重なる。少女の方紅が前に進むと、彼女の体軀に映る幼女の方紅は少し大きくなり、方紅はそれにそっと触れようとする。しかしその途端、幼女の方紅はくるりと背を向け、どんどん遠くへと進んでいく。少女の方紅は身を翻し、幼女の自分のあとを追おうとするが、その姿は自分の影に隠れて見えなくなる。

ドキュメンタリー映画監督の佐藤真は、ドキュメンタリーとは何かについて次のように述べている。

映像素材には、思いもつかなかった何ものかが充満している。それは、撮影の意図を超えているとともに、言葉表現を超えた何かである。言葉ではどうしてもとらえ切れない、名状しがたい何ものかである。

この、言葉では到底表わしきれない、まさに映像でしかとらえきれない何ものかを何とかとらえようとする表現行為のことを、私はここでドキュメンタリーと呼ぶ。(30)

先に引用した方紅の言葉をモチーフに創作されたパフォーマンスのようなこの映像は、現在の方紅のなかにいる幼女の方紅を視覚化しているだけではない。映像は、監督であり舞台振付家である章の意図を超え、自分から遠のいていく幼い自分を追いかけようとして見失う方紅の戸惑うような体の動きを捉える。背を向ける幼女の自分を追おうとした途端、その映像は現在の自分の影に遮られて見えなくなる。自分のなかの過去の自分は常に変わらずそこにいるのではなく、たまさか現れ、触れようとすると逃げ去っていく。撮影意図や言葉を超えたその表現は、フィクショナルな映像表現を通して、ドキュメンタリーがもつまがまがしいまでのリアリティーを伝えている。

いま／ここにいる不在の他者

自分のなかの他者という主題は、『おとぎ話』ではさらなる変奏として表現される。当時中学生だった方紅は章に促され、「私の部屋」と題するショートビデオを撮影する。その部屋は、映画の前半部で、章が親戚から間借りした自分の部屋を撮影したときに「最初この部屋に入ったとき、ひどくがっかりした」と評したのと似たような、47KM村にはよくある造りの粗末な部屋にみえる。しかし、方紅は静かに、誇らしげに語り始める。「これは私の部屋。すごく気に入っている。好きなものがたくさんある」。そして方紅はその好きなものを一つひとつ丁寧に撮影しながら紹介していく。いまは都市部に出稼ぎにいっている大好きな姉の写真、部屋を飾るために姉と買った孔雀のシール、壊れているけれど昔姉と一緒に笑って見ていたテレビ、姉の娘である姪《めい》の婷婷、春節に帰ってきた父がネズミを防ぐために張ってくれた天井……。

誰もいないはずの質素な部屋は、彼女にとって、かつてともに過ごした大切な人々の存在をありありと感じさせてくれる親密な空間なのだ。家具に貼られた動物の商業的なイラストのシールのなかには、それを一緒に選んで買った姉がいて、見上げた天井には、ネズミを嫌う彼女のために熱心に工事をしてくれた父がいる。不在の他者たちは、彼らが残した事物とともに、そこに存在している。存在と不在を架橋する想像力は、不在が常態化するこの村で、残された者たちを支えるものなのである。

思春期の少女たちは、農村の牧歌的なイメージに反し、常に時限付きの時間のなかに生き、急激な変化に耐えることを運命づけられている。その内心の葛藤に章は寄り添い、彼女たちとともに物語を紡ぎ出す。『おとぎ話』で章は、方紅だけでなく、ほかの思春期の少女たちにもカメラを渡し、彼女たち自身が切り取ったこの村や村人の姿を映画に挿入する。それは、いままさに村との別れを経験しようとしている思春期の少女と、そして村にとどまり彼女を送り出す章が、未来に残す共同の記憶になるのだろう。

3 老女たち

村の箴言

『自画像2020』の冒頭のほぼ十五分に及ぶ子どもたちのウイルスについての語りが終わるとようやく、タイトル文字が「自画像」「47KM」「2020」という順で黒い画面上に静かに現れる。映画はその後、二十四節気の節気名と西暦を併記した挿入字幕によって二十四のセクションに区切られて進行していく。

映画の最初の節気となる「小寒　二〇二〇年一月五日」という字幕のあと、シクシクとみぞれが降る音が聞こえ、枯れ草に覆われた前庭と「青い家」が映る。次いで、真っ暗な室内から鈍色の曇天を見やるショットが入り、姿が見えない老女の静かな湿った声が聞こえてくる。老女はウイルスに関する箴言《しんげん》めいた言葉を語りだす。

時間は六十年周期で循環しているという。この数年間、平穏な時はなかった。（略）この世界にはあらゆるものが必要だ。例えば風（略）例えば雨（略）例えば水。魚は水から離れられないし、水も魚から離れられない。動物も離れられないし、人も離れられない。（略）いまは科学が発達しすぎて、人の力が強くなりすぎている。簡単なことだよ。いま人は様々な病気に苦しみ、病気は複雑になるばかりだ。いまの人の暮らしは恵まれすぎている。（略）村の様々な動物たちは、猫も犬もニワトリも豚も、みんなすべて過去から受け継いできたものだ。でもどうして去年は、村であんなにたくさんの豚が死に、豚熱がはやったんだろう。昔の人は言ったもんだ、家畜が死んだら人もただではすまないと。村では豚もニワトリもたくさん死んだ。（略）動物と人間が違うのは、動物は物が言えないということだ。具合が悪くても言えないんだから、熱が出たり、食欲がなくなったりしたら、気づいてやらないといけない。人は少しでも具合が悪ければ自分で言えるし、医者にいくこともできるだろう。（略）でも疫病というのは原因もわからなければ、治療も難しい。農村の考え方では、そういう、普通の人には答えがわからず、原因も見つからないようなことは、すべて「天意」なんだ。

章によれば、声の主は同じ集落に住む、彼女と親しい遠縁の叔母だという。叔母はある日不意に、一人で「青い家」にいた章を尋ね、そのときたまたま流れていた自然に関する「YouTube」のレクチャーを少し聞くと、にわかに語り始めたという。「彼らは私たちがインターネットで情報を仕入れるのとは違って、別の方法で事態を理解し、この世界に変化が起きていることを理解していたんです[31]」。それは、新型コロナウイルス感染拡大という危機に際して呼び起こされた、村の箴言ともいうべき知恵の物語である。

天災と疫病

老女の複雑な語りのなかで、まず強調されるのは、この世界すなわち47ＫＭ村では、気象や水や動植物や人がつながりながら存在し、そのつながりのなかに避けがたい危機が胚胎しているということである。主要な危機は天災と疫病だ。

村の老人たちの生活の大半は、米やキノコや野菜や果物を育て、家畜や家禽の世話をし、山で漢方薬用の野草を採取したり野生生物を捕まえたりすることで占められている。『自画像2020』はそうした彼らの営みを丁寧につづりながら、前述のとおり、彼らが自然から恵みを受け取るだけでなく、ときに干魃や洪水に見舞われ、無慈悲なまでにそれを取り上げられる様子を描き出していく。種まきの季節の水不足、収穫目前の野菜を台無しにする洪水……。地域に一基だけ一九六〇年代に造られたダム[32]があるものの、水利施設の貧弱な47ＫＭ村は、直接的な天候被害を受けることが少なくない[33]。

厄災はそれだけではない。疫病だ。新型コロナウイルスの流行は、村人にとって、数年前から続く家畜や家禽の疫病の延長線上にあるものとして理解されている。叔母が語るとおり、村ではそれまでの数年間に、豚インフルエンザや鳥インフルエンザの流行で多くの家畜・家禽が死んでいた。章によれば、豚の半分が殺処分され、数百羽のニワトリがほぼ全滅したという。

方紅と丁琪軒が撮影した木に登るニワトリもみんな死んでしまいました。私を含め、都市部の人間には、ウイルスの流行は急に始まったように感じられたと思いますが、彼らにとっては、それは突然始まったわけではないんです。一歩ずつ近づいてきたものなんです[34]。

叔母は、数十年ごとに循環する厄災の歴史を振り返りながら、危機を前に人がなしうることとして、動物や人に可能なかぎりケアを施すこと、そして人知が及ばない出来事に対しては「天意」として諦念することを説く。ケアと諦念は、相互に絡み合いながら、47ＫＭ村の倫理基盤を形成しているといえる。

ケアと諦念

『自画像2020』では、最初の数カ月、具体的には「小寒　二〇二〇年一月五日」から「春分　二〇二〇年三月二十日」にかけてコロナ禍によって大きく変化した大人たちの生活に焦点が当てられる。スマートフォン[35]、マスク、ソーシャルディスタンス、コロナ禍にまつわる噂話……。それは、節気が替わるごとに挿入される、「青い家」で遊ぶ子どもたちの普段とほぼ変わらぬ姿とは対照的に映る。

コロナ禍をめぐる不穏なニュースのなかで老女たちが格別の関心を払うのは、ケアに関連する物語である。章の六十代の別の伯母は畑で一人リヤカーに土を積みながら「TikTok」で目にした動画の話を章にため息交じりに話しだす。「武漢のある家族はね、四歳の娘を残してみんな死んでしまったんだよ。近所の人がその子に食事を運んでやるんだが、ただ不憫でね。その動画を繰り返し見て涙が止まらなかったよ」。彼女にとって亡くなった人たち以上に気がかりなのは、ケアする者もなく残された幼女である。伯母はさらに、聞いてもらわずにはいられないというふうに隣の集落で起きた理不尽な死について語る。

> 山向こうの集落で、ある妊婦が風呂場で転んで大怪我をしたんだそうだ。それで自家用車で病院に運ぼうとしたんだが、どこも道が封鎖されて進めない。慌てふためいて救急車を呼んだんだが、やってきた救急車で病院に運ばれる途中で妊婦は死んでしまった。……すぐに病院に運べてればねえ。母親もお腹の子もいっぺんに二人死ぬなんて、本当になんてことだろう。

感染拡大を防ぐために、集落と町をつなぐ道路は封鎖されていた。避けられない死は諦念とともに受け入れるが、ケアを施せば避けられたかもしれない死は受け入れがたいという老女たちの思いは、人だけではなく動物に対しても向けられる。

「立夏　二〇二〇年五月五日」、腰をかがめ稲の種まきにいそしむ老夫婦に向かって、若い男があぜ道に立ったまま話しかける。いわく、村を離れていた期間に遭遇したロックダウンのせいで数カ月間村に帰れなかったこと、そのため飼っていたアヒルの売りどきを逃して大損したこと、アヒルに費やした金がどれほどだったかということ……。金銭的損失を言い募る男に、先ほどとは別の老女は黙っていられないというふうに口を開く。

老女「あんたは金を損した。アヒルは餌がなくて、どんどん痩せていった。わかる？」
若い男「帰れなかったんだから仕方ないだろ。俺だってジリジリしてたさ」
老女「私が言ってるのはね、アヒルがどんどん痩せてったってことなの。はっきり言えば、たくさん死んだってことなの」

老女のやり場のない怒りは、ケアを施しさえすればアヒルの死は避けられたという一点に発している。彼女にとってケアの有無は、その死が真に避けがたいものだったか、それとも避けうるものだったかを判断するための基準をなしている。

47KM村には「不正常な」死の記憶が堆積している。章は村に十余年通いながら、それらの記憶を集め、ドキュメンタリー作品として発表してきた。中国全土に及んだ「大飢饉」(36)の時代に餓死した人々（『自画像：47公里』二〇一一年）、土地改革の批判大会で暴力の犠牲になった人々（『自画像：47公里之死』二〇一五年）、七人の子のうち二人を幼くして、一人を自殺で、一人を出稼ぎ中の事故で亡くした老女（『自画像：47KMに生まれて』二〇一六年）、渋る息子を無理に出稼ぎにいかせ、賃金不払いにまつわる刃傷沙汰により死刑に処せられ失った別の老女（『自画像：47KMのスフィンクス』二〇一七年）……[37]。

とりわけ章は、十分なケアを施せないままに子を亡くした老女たちの癒えない傷の物語を聞き取るうちに、それが彼女たちの個人的な記憶にとどまらないことに気づく。

『スフィンクス』〔『自画像：47KMのスフィンクス』：引用者注〕のお母さんが語る話は、実は彼女ひとりだけの体験ではないと思うんです。この村には彼女と同じように子どもを失った人たちがいる。子供が死んだという意味だけではなく、例えば村を出て行ったきり戻らない子どもを持つ母親もたくさんいます。ある意味で彼女たちにとっては子供を失ってしまったようなものです。彼女の声で語られる話は彼女だけのものではなく、この土地、ここにいるお母さんたちの話でもある[38]。

避けられたかもしれない死の記憶をとどめる村の老人たちにとって、人であれ、動物であれ、そして後述するように植物であれ、ケアすべき対象をケアすることは、その命を救うことだけが目的なわけではない。それは、厄災にあってはケアしてもなお救えない命があることを「天意」として受け入れるために、必要な準備でもあるように思われる。

複数の暦

四月、47KM村に農繁期が訪れると、コロナ禍によって一変していた大人たち——特に老人たち——の生活は急速に日常のリズムを取り戻していく。

大人たちはみんな、コロナ禍が始まった最初の数カ月間は、常にそのことばかりを話題にしていました。でも、その後は彼ら自身の生活と労働の時間に立ち返っていったのです。私からみると、彼らの言語、あるいは話す言葉が、身体の発する言葉に置き換えられたということになります[39]。

村の農務の主要な担い手である老人たちに「生活と労働の時間」に立ち返る重要な契機を与えたのは、稲が必要とする季節に応じたこまやかなケアであった。稲はあたかも乳幼児のように、季節に応じたこまやかなケアを求め、老人たちはそれに応えていく。そして章は、米作りとともに「生活と労働の時間」を取り戻した大人たちの身体が語る言葉を、二十四節気の枠組みに沿って、季節ごとの自然現象とともに丁寧に切り取っていく。

例えば「穀雨　二〇二〇年四月十九日」。シャーッという音を立てて、老夫は立てかけた網にシャベルで土をかけ、床土《とこつち》作りに余念がない。老婦は育苗箱に床土を入れ、それを素手で丁寧にならしていく。雨量が増すはずの季節なのに、「ダムの水が半分しかない」と不安げな表情を浮かべる老夫。彼らの最大の関心事はすでにコロナ禍ではなく、彼らがケアすべき稲である。奥には菜の花畑が広がり、ミツバチが飛来する。誰かが飼う白い犬があぜ道を横切っていく……。

彼らの「生活と労働の時間」のリズムを表現するために二十四節気という構造を用いたことについて、章はこう語る。

編集をおこなう前の二〇二一―二二年、あるいはもっと前からそのアイデアはありました。都市部にいるときは気づかなかったのですが、この村に住んでいると、節気に対する感覚はとても鋭敏になります。つまり、それは村に住んで得た実感であって、最初から二十四節気という構造に従って撮ろうとしていたわけではないのです。ここに住んでいると、彼らがまさにこの節気の時間に沿って一年一年を過ごしていることがわかります。ですから、この最もシンプルな、かつ最も重要な区切りによって映画に構造を与えようと思ったのです。(40)

二十四節気は古代中国で太陽の運行をもとに作られた暦である。月の運行に基づく陰暦がうるう月を挟んで四季の周期との間にずれを生むのとは異なり、「一年間の太陽の動き、すなわち季節の推移を二十四等分した枠組み」(41)である二十四節気は、農業をはじめ、季節の変化に合わせて進行する生産活動に適した暦である。

しかし、それをもって章を単純に土着主義者と見なすのは間違っている。前述の穀雨のシークエンスには続きがある。

育苗箱の準備に忙しい老夫婦のかたわらで、コロナ禍の影響で出稼ぎ先から一時帰村した彼らの息子と、同じ工場で働いていた若い男女が、出稼ぎに戻るタイミングについて立ち話を始める。いわく、武漢はまだ混乱しているが温州はかなり落ち着いたようだ、もとの工場は再稼働したらしい、コックの仕事は人との接触が心配だ……。ひとしきり情報交換をしたあと、若い女性がもう待ちきれない、というように老夫婦の息子に対して語気を強めてこう主張する。

若い女「二、三日したら〔もとの工場に：引用者注〕行こうよ。どう？」
息子「行ったところで、もう人は足りてるんじゃないか？」
若い女「とにかく行って、ダメなら別の仕事を探せばいい」
息子「いまはどうせ見つからないだろうから、うちの田植えをやってから行くよ」
若い女「工場はたくさんある。あそこ一つじゃないでしょ」

写真5　同じ空間に存在する2つの時間
（出典：『自画像：47KM 2020』© Zhang Mengqi）

息子「母親が行くなってさ。でなけりゃとっくに行ってるよ」
老夫「行ってほしくないんだよ」
老婦「行ってほしくないの。行かせたければ、とっくに行かせてる」
若い女「行かないなら、ここでいったい何をするわけ？」
息子「田植えだよ」
老夫「うちの田植えだ。俺のかわりにやってもらう」

老夫婦は種まきの準備にいそしみ、作業着姿の息子は父親の見よう見まねで慣れない床土作りをする。一方、ミニスカートをはいた若い女と白いTシャツ姿の若い男は、農務とは無縁の服装であるだけでなく、苗代田のへりに立ったまま決して田に足を踏み入れようとはしない（写真5）。
カメラは同じ空間に流れる二つの時間を切り取っている。老人たちの身体に支配的な力を及ぼす、稲からのケアの要請と節気の時間は、若い男女には何の効力もない。彼らの身体を強く支配するのはロックダウンや工場再稼働のタイミングであり、賃金のベースになる計量的時間である。『自画像

2020』が描く時間について章は言う。

この映画のなかでは、実は二つの時間を記載しています。一つは二十四節気を記し、同時に二〇二〇年何月何日、と西暦の日付も記載しています。それぞれ、西暦は私たちが全世界的に経験しているパンデミックの経験と結び付いた時間を、節気は村に根ざした自然と結び付いた生活の時間を、表しています。(42)

『自画像2020』での二つの時間は、二項対立的でも二者択一的でもなく、ただ同時に存在するものである。そしてその複数の時間軸は、この村がもつ重層的な社会関係を反映している。

農村社会学者である田原史起は、中国内陸部からの出稼ぎについて、実家の「農地経営を安定した陣地として、自家消費するための最低限の食糧」が確保されることによってこそ「現金収入を求めて、相対的に賃金の高い沿海部への出稼ぎに果敢に打って出ることが可能(43)」になったことを指摘する。それによって「イザという時には、都市での就業を暫時、中断して農村に戻り、農地経営をしながら、時期が熟するのを待つことも可能(44)」になるからである。

それだけではない。映画に描かれているとおり、47KM村の老人たちは、自家消費用の米や野菜に加え、地元政府が地場産業として推奨する椎茸作りに熱心に取り組み、いまや椎茸は彼らにとって米以上に重要な商品作物になっている。(45)「いま村の椎茸栽培は節気の時間には依存していません。なぜなら彼らは昔ながらの方法ではなく、一種の人工的な方法で栽培をおこなっているからです(46)」。原木栽培とは違い、天候に左右されにくい菌床栽培による椎茸作りは年二回の収穫を可能にし、その栽培プロセスは映画のなかでも二十四節気とはまた別のリズムを刻んでいる。

「実際、村にはたくさんの時間があるんです」と章は笑う。彼女によると、村の老人たちは二十四節気だけでなく、孫や子の学事日程や郵便局の営業日を知るには西暦を、普段の日付や年中行事を知るには陰暦を、さらに日々の吉兆を占うには風水暦を使うこともあるという。「彼らにとってはそれが実用的だからです」[47]

小川紳介監督が現地に長年暮らしながら撮ったドキュメンタリー『三里塚 辺田部落』(一九七三年)を分析した阿部マーク・ノーネスが、農民の時間について論じるディペシュ・チャクラバルティに依拠して述べるように、47KM村の人々も、「資本に論理の外部に留め置かれたり、資本から追放されたり」するのではなく、その矛盾のなかで「サバルタンの複数的な時間[48]」を生きているといえるだろう。一本に編み込まれた複数の時間軸は、異なる状況ごとに異なる編み目を見せる。それは重層的な社会関係のなかに生き、自然・社会・経済の複合的なリスクを相手取り、さらには避けがたい災厄を天意として受容する彼らのプラクティカルな知恵なのではないだろうか。

未来に受け渡すもの

先に引用した老女の語りでもう一つ強調されていたのは、「猫も犬もニワトリも豚も、みんなすべて過去から受け継いできたもの」だということである。たび重なる災厄にもかかわらず、村の先人たちは、過去から引き継いだ家畜や家禽や伴侶種たちをケアし、その命をさらに下の世代に受け渡してきた。それは、やがて死にゆく定めにある人々が、彼らの有限の時間のなかで次の世代のためにおこなう営為である。

「自画像」シリーズでは、そうした営為は、しばしば樹木のイメージとともに描かれてきた。『おとぎ話』に登場する丁琪軒の祖父は、枯れ草に覆われた荒地にか細い苗木を一本一本植えながら、孫に声をかける。「お前はいつ大学生になる?」。丁琪軒の答えは「そんなのわかんないよ」と素っ気ない。学制がわからない祖父は、撮影する章に教えてもらいながら指折り数える。「来年は六年生……ということは……あと八年で大学だな。大学は四年か。十二年たてば木は売れる。この木を売った金はお前たち兄妹で使え。俺には使い道がない」。「あるで

写真6　枝打ちをする老人
（出典：『自画像：47KM 2020』© Zhang Mengqi）

しょ」といぶかしむ丁琪軒に、祖父は静かに答える。「いや、ないんだ」

三時間を超える『自画像2020』の最後の節気「冬至　二〇二〇年十二月二十一日」には美しく不思議なロングショットが挿入される。青灰色の作業服を着た老人が一人、鉈《なた》を手に、高くまっすぐ伸びた落葉樹に身を巻き付けるようによじ登り、枝打ちをしている。遠くでニワトリの鳴き声がかすかに響き、画面いっぱいに樹林を捉えた引きの画面のなかに、高い木に命綱もつけずに登っていく老人の姿が小さく映る。

丁寧な枝打ちは、節のないまっすぐで良質の木材を育てるだけでなく、地表に光を入れて下層植生を促し、土壌流出を防ぐなど、地域の共有財としての森林保全に寄与するという。[49]鉛筆のようにまっすぐに立つ木々が織りなす美しいストライプは、数十年単位のケアがそこに介在したことを物語る（写真6）。

章は言う。「この村は近代化政策から見放された遅れた村で、希望がない村だと思っていました。でもだからこそ、その土地で築かれてきた知恵を使ってなんとかしようとするんです」[50]。映画のなかで村の複数の時間はさらなるバリエーションをみせる。次世代に樹木を残そうとする老人たちの営みは、あまたの危機と災厄を経験した彼らが、自身の人生を超える長い時間軸のなかにリスクを分散させようとする知恵の実践ともいえる。それはまた、おそらく彼ら自身は見ることがない未来への配慮でありケアでもある。

おわりに

それまでは冬ごとに47KM村を訪ね村の記憶を撮り続けていた章は、コロナ禍を機に都市部を離れ、初めて四季を通じてこの村をカメラに収めることになった。

振り返ってみると、私は『自画像2020』を撮りながら、この村を愛する気持ちを新たにしたことを強く感じます。というのも、私はようやく彼らの知恵に気づくことができたからです。この平凡で見捨てられた村の人々を見つめることで、私自身もずっと目を留めることがなかった村の人々の知恵や生命力のようなものに気づくことができたからです。(51)

パンデミックの二〇二〇年の一年間、章は彼らの生活と労働をつぶさに観察し、そこから生まれる物語に耳を傾けることを通して、常態化するリスクのなかで否応なく紡がれてきた47KM村の人々の知恵を発見し、その知恵がこの緊急事態のなかで発露するさまをドキュメンタリーとして描き出した。

子どもたちは、身の回りにある自然や人のイメージを組み合わせて豊かなファンタジーを紡ぎ出すことでウイルスとコロナ禍の恐怖や家族との分離の不安から自分自身を守り、また大人たちは彼らがファンタジーを紡ぐ特権的な時間を守る。少女たちは、家禽のなかに潜む野生に自身が置かれた現実と憧れを仮託し、また想像力によって不在の他者を呼び寄せながら、目前に迫る環境の急変に備え、未来に残す記憶を蓄える。老人たちは、農作物、家畜・家禽、伴侶種そして人にケアを施すことで死を回避する一方、なお避けられない死を諦念とともに受け入れ、複数の時間軸を束ねながら、見ることがない未来にささやかな遺産を引き渡す。

苦難と危機のなかで、人はありあわせの資源から物語を生み出し、物語はワクチンのように人を守る。それが、この村を十余年間撮り続けた章が十作目にして描き出した47KM村の知恵であり、章自身の「自画像」であった。

> 私が撮影する時間は、実際のところ、大量の繰り返しによって占められています。かわり映えがしない生活、同じ人々、同じ村、同じ動物……。こうした表面的な繰り返しのなかに見いだされる、いわゆる変化や異変というものは、非常に目立たず、判然としないものです。でも私には、それを見つけることこそが、あらゆるプロセスのなかで最も難しく、最も面白いことだと思えるのです。それは常に難しいことですが、同時に、少しでも何かを感じ取り、新しい発見と視点が生まれるとき、それは私だけが経験し、読解しえたユニークな何かではないかとも思うのです。[52]

その言葉は、アーレントがディネセンについて語った次のような言葉を思い起こさせる。

> 世界は物語に、すなわち事件や出来事や奇妙な突発事に満ちており、それらはただ語られることを待っている（略）起こったことを想像し、想像力の中で反復することができさえすれば、物語をみることになろうし、それを繰り返し語る忍耐力さえ持ち合わせていれば（略）それを上手に語ることができるようになるであろう。[53]

中国湖北省の小さな農村を描き続ける「自画像」という名のドキュメンタリーシリーズは、映画ごとに異なる物語を紡ぎながら、登場人物一人ひとりの変化や成長、離散や集合、生や死によって結ばれ、無数の物語をはらんだ一つの連続体を形成している。それは、様々な人や動植物や微生物が相互に絡み合い、新陳代謝と世代交代を繰り返しながら生きるこの村、あるいは世界そのものの陰画のようにも思われる。

章夢奇はこの場所で、変化し増殖するあまたの自画像を描き続けることだろう。「彼女の繰り返し語る忍耐力」は、私たちに、いま／ここに「語られることを待っている」物語があることを強く示唆しているように思われる。

注

(1) 日本でも使用例がある「章梦奇」は「章夢奇」の中国語簡体字表記である。本章では日本で使用されている漢字表記である「章夢奇」を用いる。

(2) 以下、特に記載がないかぎり、中国語原文からの引用は引用者訳である。

(3) 原語は「公里」(キロメートル)。「自画像：47KM」シリーズの英語タイトルおよび日本語タイトルでは「KM」の表記が用いられているため、本章もこれに従う。

(4) 田原史起『草の根の中国——村落ガバナンスと資源循環』東京大学出版会、二〇一九年、二ページ

(5)「自画像」シリーズを制作年代順に挙げると次のとおり。うち日本での公開作品には、( ) 内に邦題を示す。『自画像：47公里』(二〇一一年)、『自画像：47公里跳舞』(二〇一二年)、『自画像：47公里做夢』(二〇一三年)、『自画像：47公里搭橋』(二〇一四年)、『自画像：47公里之死』(二〇一五年)、『自画像：生于47公里』(『自画像：47KMに生まれて』二〇一六年)、『自画像：47公里斯芬克斯』(『自画像：47KMのスフィンクス』二〇一七年)、『自画像：47公里的窓』(『自画像：47KMの窓』二〇一九年)、『自画像：47公里的童話』(『自画像：47KMのおとぎ話』二〇二一

年）、『自画像：47公里 2020』（『自画像：47ＫＭ 2020』二〇二三年）。これらの作品のうち、『自画像：47ＫＭの窓』までの八本とデビュー作『自画像和三個女人』（『三人の女性の自画像』二〇一〇年）の中英字幕版は公式Vimeoサイト「自画像：47公里——章夢奇系列作品」（〔https://vimeo.com/ondemand/zhangmengqicn〕［二〇二四年一月十四日アクセス］）で有料視聴が可能である。なお、章によれば『自画像：47ＫＭのおとぎ話』が近日追加の予定だという。

（6）山形国際ドキュメンタリー映画祭「受賞作品 審査員コメント」（https://www.yidff.jp/2023/info/23comments.html）［二〇二四年一月十四日アクセス］

（7）『自画像：47ＫＭのおとぎ話』エンドロールでは"Blue House Fund"筆頭にＤＭＺ国際ドキュメンタリー映画祭ホワイトグース賞（最高賞）が挙げられている。なお、同作は「青い家」が建てられるまでの物語を描いている。

（8）筆者が対面（二〇二三年十月十一日、山形）とオンライン（二〇二三年十月二十五日、Zoom）でそれぞれ一回ずつおこなったインタビューに加え、既存のインタビュー記事も利用する。

（9）王千「専訪《自画像：47公里2020》導演章夢奇——村荘不止是故郷、而是指向未来的家園」「豆瓣電影」（https://movie.douban.com/review/15620063/）［二〇二四年一月十四日アクセス］

（10）章夢奇氏へのインタビュー（二〇二三年十月二十五日、オンライン）

（11）同インタビュー

（12）前掲「専訪《自画像：47公里2020》導演章夢奇」

（13）章夢奇氏へのインタビュー（二〇二三年十月二十五日、オンライン）

（14）武田雅哉／加部勇一郎／田村容子編著『中国文化55のキーワード』（世界文化シリーズ）、ミネルヴァ書房、二〇一六年、三八ページ

（15）章夢奇氏へのインタビュー（二〇二三年十月二十五日、オンライン）

（16）章夢奇氏へのインタビュー（二〇二三年十月十一日、山形）

（17）日本での研究に例えば、阿古智子『貧者を喰らう国——中国格差社会からの警告 増補新版』（〔新潮選書〕、新潮社、

二〇一四年)、首藤明和/落合恵美子/小林一穂編著『分岐する現代中国家族——個人と家族の再編成』(明石書店、二〇〇八年)など。

(18)前掲「専訪《自画像:47公里2020》導演章夢奇」

(19)同記事

(20)同記事

(21)ハンナ・アレント『人間の条件』志水速雄訳(ちくま学芸文庫)、筑摩書房、一九九四年

(22)瀬々敬久「情動の映画」『三姉妹〜雲南の子』映画パンフレット、ムヴィオラ、二〇一三年、一七ページ。また、『三姉妹』で描かれる子どもたちの過酷な生活についての優れた解説として、伊藤悟「雲南の現実から」(同パンフレット)。

(23)章夢奇氏へのインタビュー(二〇二三年十月二十五日、オンライン)。章によれば、そのほかに高校入学を機に一家で隋州に移住するケースもあるという。

(24)前掲『分岐する現代中国家族』、小浜正子編『ジェンダーの中国史』(アジア遊学)、勉誠出版、二〇一五年

(25)前掲『自画像:47KMに生まれて』では、方紅の姉の出産が重要な物語の一つになっている。

(26)デンマークの女性作家であるカレン・ブリクセンは、英語圏ではIsak Dinesenとして知られている。引用したH・アレント『暗い時代の人々』(阿部斉訳〔現代思想選〕、河出書房新社、一九八六年)ではアイザック・ディネーセンと表記されているが、二〇一八年に出版された横山貞子による日本語新訳はイサク・ディネセンと改められているため(イサク・ディネセン『アフリカの日々』横山貞子訳〔河出文庫〕、河出書房新社、二〇一八年)、ここではイサク・ディネセンの表記に従う。ケニアに渡って長らくコーヒー農園を経営していたディネセンは、アーレントによれば「アフリカにおける生活と恋人とを失った悲しみ」(前掲『暗い時代の人々』一二〇ページ)によって作家となった。アーレントが『人間の条件』第五章に掲げた有名なエピグラフ「どんな悲しみでも、それを物語に変えるか、それについて物語れば堪えられる」(前掲『人間の条件』二八五ページ)はディネセンの言葉である。

(27)前掲『暗い時代の人々』一二七ページ

(28) 鄭高詠『中国の十二支動物誌』白帝社、二〇〇五年、三一六ページ
(29) 章夢奇氏へのインタビュー（二〇二三年十月二十五日、オンライン）
(30) 佐藤真『ドキュメンタリー映画の地平——世界を批判的に受けとめるために』上、凱風社、二〇〇一年、一四ページ
(31) 章夢奇氏へのインタビュー（二〇二三年十月十一日、山形）
(32)「地理環境」隋県人民政府（http://www.zgsuixian.gov.cn/zjsx/sxgk/202004/t20200416_788041.shtml）［アクセス二〇二四年一月十四日］
(33) 田原史起によれば、伝統的農村は「自然災害の猛威と戦乱の影響で、人口が大幅に変動することもあるような、（略）想像を絶するほどの「リスク社会」」（前掲『草の根の中国』一一ページ）だったという。
(34) 章夢奇氏へのインタビュー（二〇二三年十月十一日、山形）
(35) 同インタビュー。章によれば、この時期、村では若年世代だけではなく年配世代にもスマートフォンが急速に普及したという。
(36) 田原史起によれば、一九五〇年代から七〇年代、「重工業化・国防建設のための農村からの資源調達が史上かつてなかったほどに高ま」り、「とりわけ一九五九～六〇年にかけての全国的な飢餓は、政府の政策自体が新たなリスク要因となりうることを農民に悟らせ」「一九六〇～七〇年代を通じ、中国農村では、理不尽と思われる政策に対しては、様々な形で基層組織による日常的抵抗の形が生まれた」という（前掲『草の根の中国』一四ページ）。
(37) 章夢奇が参加するコレクティブ、草場地工作站（ＣＣＤワークステーション）による「民間記憶計画（メモリープロジェクト）」は、農村の「大飢饉」の記憶を記録するプロジェクトとして二〇一〇年に始動し、次第にその射程を土地改革、大躍進、文化大革命などの現代史に拡張させた。章を含むメンバーたちによる多くの映像記録やオーラルヒストリーのテキストを公開したプロジェクトの公式アカウント「草場地工作站」は一六年六月に閉鎖され、新生「草場地工作站B站」ではそれら素材は公開していない。現在、同プロジェクトの記録映像の一部はデューク大学図書館のオンライン・アーカイブ（The David M. Rubenstein Rare Book Manuscript Library/Duke University, “The

Memory Project Oral History collection, 2009-2016”〔https://archives.lib.duke.edu/catalog/memoryproject〕〔二〇二四年一月十四日アクセス〕で視聴することができる。

(38) 結城秀勇「『自画像：47KMのスフィンクス』『自画像：47KMの窓』ジャン・モンチー インタビュー」「NOBODY」(https://www.nobodymag.com/journal/archives/2020/0119_1842.php)〔二〇二四年一月十四日アクセス〕

(39) 前掲「専訪《自画像：47公里2020》導演章夢奇」

(40) 章夢奇氏へのインタビュー（二〇二三年十月二十五日、オンライン）

(41) 古川末喜『二十四節気で読みとく漢詩』文学通信、二〇二〇年、一一ページ

(42)『山形国際ドキュメンタリー映画祭 2023 インタビュー集／章夢奇監督、聞き手：結城秀勇』山形国際ドキュメンタリー映画祭、近刊予定

(43) 前掲『草の根の中国』一七ページ。ただし、開発のために土地が収容されてしまうことがある沿海部農村、都市近郊農村、幹線道路脇に位置する農村などにはこの前提は当てはまらないという（同書二四五ページ）。

(44) 同書一八ページ。ただし、地域や個別の村ごとに事情は異なることも見逃してはならない。例えば阿古智子は、収益があがらないため耕作を放棄して出稼ぎに出ていた人々と、それを引き受けた人々の間で土地をめぐるトラブルが頻出したことを、農村の文化や自治形態の重大な変化の一環として分析している（前掲『貧者を喰らう国』七六―七八ページ）。

(45)「〝一朵菇〟如何驚艶？――随県香菇産業的成長与蛻変」「随州市人民政府」(http://www.suizhou.gov.cn/gkxx/sztc/202310/t20231017_1153570.shtml)〔二〇二四年一月十四日アクセス〕

(46) 章夢奇氏へのインタビュー（二〇二三年十月二十五日、オンライン）

(47) 同インタビュー

(48) 阿部マーク・ノーネス「三里塚の蠱惑的空間にて時間を視覚化する」山本直樹訳、「現代思想」二〇〇七年十月臨時増刊号、青土社、九六ページ

(49) 佐藤大七郎「えだうち 枝打ち」、日本林業技術協会編『新版 林業百科事典』所収、丸善、一九七一年、五二―五

三ページ。また地域共同体による森林保全については、三俣学「明治・大正期における地域共同体（コモンズ）の森林保全――滋賀県甲賀郡甲賀町大原地区共有山を事例にして」（「森林研究」第七十二号、京都大学大学院農学研究科附属演習林、二〇〇〇年〔https://repository.kulib.kyoto-u.ac.jp/dspace/handle/2433/192829〕［二〇二四年一月十四日アクセス］）

(50) 章夢奇氏へのインタビュー（二〇二三年十月十一日、山形）

(51) 前掲「専訪《自画像：47公里2020》導演章夢奇」

(52) 同記事

(53) 前掲『暗い時代の人々』一二一ページ

［付記］本章はＪＳＰＳ科研費23K00224による研究成果の一部として執筆したものである。執筆にあたり章夢奇氏から多大なご協力をいただいたほか、村井まや子氏、熊谷謙介氏、山形国際ドキュメンタリー映画祭、草場地工作站をはじめとする多くの個人や団体から貴重なご教示とご支援をいただいた。記して感謝を申し上げる。なお、本章の事実や解釈上の誤りはひとえに筆者の不明によるものであり、読者のご批正を切に願いたい。

『異文化社会の理解と表象研究』（専修大学出版局）、訳書に『侯孝賢の映画講義』（みすず書房）、字幕翻訳に『鉄西区』（王兵監督、共訳）など

［著者略歴］

菊間晴子（きくま はるこ）
東京大学大学院人文社会系研究科助教
専攻は日本近現代文学、表象文化論
著書に『犠牲の森で』（東京大学出版会）、論文に「「テン窪大檜」の表象に見る「魂」の救済可能性」（「超域文化科学紀要」第25号）、「●を超えて、あるいは●のなかで」（「ユリイカ」2020年3月号）、「「後期の仕事（レイト・ワーク）」にあった「希望」」（「日本近代文学」第96集）など

小松原由理（こまつばら ゆり）
上智大学文学部教授
専攻はドイツ語圏アヴァンギャルド芸術・文学
著書に『イメージの哲学者ラウール・ハウスマン』（神奈川大学出版会）、編著に『〈68年〉の性』（青弓社）、『アヴァンギャルドの運動表象』（日本独文学会）、共編著に『多和田葉子／ハイナー・ミュラー』（東京外国語大学出版会）、共著に『多和田葉子の〈演劇〉を読む』（論創社）など

信岡朝子（のぶおか あさこ）
東洋大学文学部教授
専攻は比較文学、比較文化
著書に『快楽としての動物保護』（講談社）、共編著に『核と災害の表象』（英宝社）、論文に「はじまりとしてのジョン・ミューア」（「アメリカ史研究」第45号）、「公害を語るナラティヴ」（「文学論藻」第94号）、「写真の限界、テクストの意義」（「比較文学研究」第101号）など

鈴木宏枝（すずき ひろえ）
神奈川大学外国語学部教授
専攻は英語圏児童文学
著書に『アフリカン・アメリカン児童文学を読む』（青弓社）、共著に『子どもの世紀』（ミネルヴァ書房）、『マイノリティは苦しみをのりこえて』（冬弓舎）、論文に “The Ideology of Sex in *Harry Potter*”（「英語圏児童文学研究　Tinker Bell」No.67）、「ディズニーの長編アニメ映画における王国」（「白百合女子大学児童文化研究センター研究論文集」第22号）など

菅沼勝彦（すがぬま かつひこ）
タスマニア大学人文学部講師
専攻はジェンダー・スタディーズ、クィア・スタディーズ
著書に *Contact Moments*（Hong Kong University Press）、共著に『男性性を可視化する』（青弓社）、論文に “Racism and Sexism against Serena Williams in Australian Media”（「Gender and Sexuality」第18号）など

秋山珠子（あきやま たまこ）
神奈川大学外国語学部准教授
専攻は中国語圏の視覚芸術・映像翻訳
共編著に『華語独立影像観察』第1期「当代日本— 中国独立電影文化的関聯（1989-2020）」（華語独立影像資料館）、共著に *Chinese Cinemas in Translation and Dissemination*（Routledge）、

［編著者略歴］
村井まや子（むらい まやこ）
神奈川大学外国語学部教授、おとぎ話文化研究所所長
専攻はおとぎ話文化、比較文学
著書に *From Dog Bridegroom to Wolf Girl*、共編著に *Re-Orienting the Fairy Tale*（ともに Wayne State University Press）、共著に *The Fairy Tale World*（Routledge）、*A Cultural History of Fairy Tales*（Bloomsbury）、『男性性を可視化する』（青弓社）など

熊谷謙介（くまがい けんすけ）
神奈川大学国際日本学部教授
専攻はフランス文学・文化、表象文化論
著書に *La Fête selon Mallarmé*（L'Harmattan）、編著に『男性性を可視化する』『破壊のあとの都市空間』、共著に『〈68年〉の性』『〈悪女〉と〈良女〉の身体表象』（いずれも青弓社）、共訳書に『古典 BL 小説集』（平凡社）など

神奈川大学人文学研究叢書50
動物《どうぶつ》×ジェンダー　マルチスピーシーズ物語の森へ

発行　2024年2月28日　第1刷
定価　3000円＋税
編著者　村井まや子／熊谷謙介
発行者　矢野未知生
発行所　株式会社青弓社
〒162-0801 東京都新宿区山吹町337
電話 03-3268-0381（代）
http://www.seikyusha.co.jp
印刷所　三松堂
製本所　三松堂

ISBN978-4-7872-9275-9　C0095